FRANCOPHONIES
D'AMÉRIQUE

FRANCOPHONIES
D'AMÉRIQUE

Automne 2010   Numéro 30

Les Presses de l'Université d'Ottawa
Centre de recherche en civilisation canadienne-française

FRANCOPHONIES
D'AMÉRIQUE

Automne 2010 Numéro 30

Directeur:

FRANÇOIS PARÉ
Université de Waterloo
Courriel: fpare@uwaterloo.ca

Conseil d'administration:

GRATIEN ALLAIRE, président
Université Laurentienne, Sudbury

RAOUL BOUDREAU
Université de Moncton

PAUL DUBÉ
Université de l'Alberta, Edmonton

ANNE GILBERT
CRCCF, Université d'Ottawa

Comité éditorial:

MARIANNE CORMIER
Université de Moncton

SYLVIE DUBOIS
Louisiana State University

LUCIE HOTTE
Université d'Ottawa

CILAS KEMEDJIO
Université de Rochester

JEAN-PIERRE LE GLAUNEC
Université de Sherbrooke

JOHANNE MELANÇON
Université Laurentienne

PAMELA SING
Université de l'Alberta

Recensions:

DOMINIQUE LAPORTE
Université du Manitoba
Courriel: laported@cc.umanitoba.ca

Révision linguistique:

JOSÉE THERRIEN

Correction d'épreuves et coordination:

COLETTE MICHAUD

Mise en page:

MONIQUE P.-LÉGARÉ

Maquette de la couverture :

CHRISTIAN QUESNEL

En couverture: *Elie Manitoba,* acrylique sur panneau, 56 cm x 71 cm, photographie prise dans les années 1970, peinte en 2010. JOEL BOUCHARD, Winnipeg (Manitoba)

Francophonies d'Amérique est indexée dans :

Klapp, *Bibliographie d'histoire littéraire française* (Stuttgart, Allemagne)

International Bibliography of Periodical Literature (IBZ) et *International Bibliography of Book Reviews (IBR)* (Osnabrück, Allemagne)

International Bibliography of the Social Sciences (IBSS), The London School of Economics and Political Science (Londres, Grande-Bretagne)

MLA International Bibliography (New York)

REPÈRE – Services documentaires multimédia

Cette revue est publiée grâce à la contribution financière des universités suivantes:
UNIVERSITÉ D'OTTAWA
UNIVERSITÉ LAURENTIENNE DE SUDBURY
UNIVERSITÉ DE MONCTON
UNIVERSITÉ DE L'ALBERTA – CAMPUS SAINT-JEAN

ISBN: 978-2-7603-0755-1
ISSN: 1183-2487 (Imprimé)
ISSN: 1710-1158 (En ligne)
Dépôt légal – Bibliothèque et Archives nationales du Québec, 2011
Dépôt légal – Bibliothèque et Archives Canada, 2011
Les Presses de l'Université d'Ottawa / Centre de recherche en civilisation canadienne-française, 2011
Imprimé au Canada

Comment communiquer avec

FRANCOPHONIES
D'AMÉRIQUE

POUR LES QUESTIONS D'ABONNEMENT, DE DISTRIBUTION
OU DE PROMOTION :

Monique P.-Légaré
Centre de recherche
en civilisation canadienne-française
Université d'Ottawa
65, rue Université, bureau 040
Ottawa (Ontario) K1N 6N5
Téléphone : 613 562-5800, poste 4007
Télécopieur : 613 562-5143
Courriel : mlegare@uOttawa.ca
Site Internet : http://www.crccf.uOttawa.ca/francophonies_amerique/index.html

POUR TOUTE QUESTION RELEVANT DU SECRÉTARIAT DE RÉDACTION :

Colette Michaud
Secrétariat de rédaction, *Francophonies d'Amérique*
Centre de recherche
en civilisation canadienne-française
Université d'Ottawa
65, rue Université, bureau 040
Ottawa (Ontario) K1N 6N5
Téléphone : 613 562-5800, poste 4001
Télécopieur : 613 562-5143
Courriel : cmichaud@uOttawa.ca

Francophonies d'Amérique est disponible sur la plateforme Érudit à l'adresse suivante :
http://www.erudit.org/revue/fa/apropos.html.

Table des matières

Réinventer l'engagement communautaire

RECENSIONS

Présentation

François CHARBONNEAU
Université d'Ottawa

L e lecteur doit savoir deux ou trois choses du numéro de *Franco-phonies d'Amérique* qu'il a sous les yeux. Les textes colligés pour ce numéro l'ont été dans la foulée du colloque du Réseau de la recherche sur la francophonie canadienne intitulé *Vues d'ici et d'ailleurs, minorités linguistiques et francophonie en perspective*. L'objectif de ce colloque, qui a eu lieu en mai 2008, était d'appréhender par l'approche comparative les similitudes et les dissemblances de la réalité des minorités linguistiques à l'échelle internationale. Plus d'une soixantaine de participants provenant d'une dizaine de pays ont offert des communications sur divers aspects de la réalité des minorités linguistiques, et près d'une trentaine d'entre eux ont soumis leur texte pour publication dans les actes du colloque. Faute d'espace, il n'a pas été possible de publier tous les textes, ni de publier tous ceux qui ont été évalués favorablement dans une seule et même revue. Les textes portant sur les minorités linguistiques d'« ailleurs » ont trouvé domicile dans la revue *Glottopol* au mois d'octobre 2010, alors que ceux portant sur la francophonie canadienne ont été aimablement accueillis par la revue *Francophonies d'Amérique*. Que toute l'équipe de cette revue, en particulier son nouveau et dynamique directeur, François Paré, soit ici remerciée.

Étant donné que les auteurs avaient tout le loisir de faire porter leur texte sur un thème de leur choix, nous craignions que l'ensemble des articles reçus ne se démarque par un trop grand éclectisme. Comment, en effet, préparer un numéro si les auteurs présentent des sujets qui ont peu à voir les uns avec les autres ? La lecture des textes, au fur et à mesure que les auteurs les envoyaient, a plutôt donné une impression contraire. Même s'ils portent sur des sujets divers, ils ont suscité en nous, les uns après les autres, à peu près le même questionnement. Serions-nous parvenus, nous sommes-nous demandé, à une nouvelle étape dans l'histoire de la francophonie canadienne, étape que l'on pourrait appeler de la postrevendication ou de la postmobilisation ? La question pourra sembler curieuse à première vue, mais il nous semble que le contraste est assez prononcé entre la période s'échelonnant des années 1970 aux années 2000 et la période actuelle. Cette première époque, marquée par une série de luttes menées par les Canadiens français et les Acadiens pour obtenir le financement de leurs propres institutions ou des services dans leur langue, détonne fortement avec la situation actuelle. Qu'est-ce qui préoccupe aujourd'hui les Canadiens français, ou ceux que l'on appelle dorénavant, de manière aseptisée, les francophones vivant en situation minoritaire ? L'heure, nous semble-t-il, n'est plus aux grandes revendications. La dernière grande manifestation remonte au 22 mars 1997, date devenue mythique, alors que la communauté franco-ontarienne se mobilisait, non pas pour obtenir quelque chose, mais pour préserver ses acquis.

Il ne s'agit pas ici de déplorer la chose. Si les Canadiens français ne prennent plus la rue, c'est sans doute parce qu'ils jugent qu'ils ont obtenu ce qu'ils peuvent légitimement espérer des gouvernements en matière de complétude institutionnelle. C'est quand on a besoin d'une *école* que l'on prend bruyamment la rue, pas pour revendiquer une augmentation de ses budgets pour les services de réadaptation scolaire, par exemple. Cela dit, il y aurait sans doute lieu de se pencher sur les conséquences de cette nouvelle donne. La mobilisation a des vertus qui dépassent largement les objectifs escomptés. C'est grâce à la mobilisation que les Canadiens français ont cessé d'être, du moins pour un temps, ces « hommes invisibles » qu'esquissait jadis l'admirable plume de Patrice Desbiens.

La francophonie canadienne est maintenant ailleurs, dans ce que l'on pourrait appeler l'aménagement de sa quotidienneté. La recherche universitaire semble avoir pris acte de ce changement : les textes que l'on s'apprête à lire ne parlent plus de rapports de force ou d'opposition entre dominants et dominés, comme le voulait l'ancienne doxa universitaire. Exit aussi les femmes comme objet de recherche, un thème pourtant si important à la fin des années 1980 et au début des années 1990. Dans certains des textes de ce numéro, on en vient presque à oublier que les personnes décrites appartiennent à des entités minoritaires. Le signe le plus significatif de ce changement? Cinq des sept textes ne font aucune référence à l'« assimilation » (non seulement l'idée est totalement absente, mais le mot l'est tout autant), et les deux autres n'y font référence qu'au passage, de manière périphérique. Les chercheurs reflètent peut-être ainsi les préoccupations des franco-phones eux-mêmes, sans doute las de réfléchir à la réalité de ce cancer probablement trop virulent pour être sérieusement combattu.

Les textes qui suivent portent donc sur de nouvelles thématiques de recherche, comme la qualité de l'accueil des immigrants dans les communautés canadiennes-françaises et acadiennes, un thème en voie de devenir le principal objet de réflexion des chercheurs, sur les services de santé en français, sur la « gouvernance » des communautés large-ment définie, sur les aménagements en matière d'urbanité, et d'autres thèmes qui renvoient aux nouvelles préoccupations à la fois des chefs de file des communautés, du gouvernement fédéral, et maintenant du milieu de la recherche.

Greg Allain et Guy Chiasson s'intéressent à la place des Acadiens dans la gouvernance du développement économique du Moncton métropolitain. Ils y définissent l'urbanité comme une nouvelle chance pour les communautés en situation minoritaire, du moins dans un cas très précis, celui de Dieppe et de la région métropolitaine du Grand Moncton. On le sait, la croissance de la région métropolitaine de Moncton s'explique essentiellement par l'afflux massif de franco-phones à Dieppe, l'une des trois villes formant l'agglomération du Grand Moncton. Les auteurs montrent que les francophones de la ville de Dieppe utilisent les leviers de la politique locale, notamment par l'intermédiaire des politiques d'aménagement urbain, pour favoriser le développement de la communauté. La ville de Dieppe, avec ses 14 000 francophones, est en train de devenir le lieu d'expérimentation des moyens de revitalisation de l'Acadie. Par exemple, la construction d'un espace urbain (la Place 1604) en plein cœur de Dieppe doit permettre la création d'un véritable centre-ville francophone. Les Acadiens, pour-tant minoritaires sur l'ensemble du territoire du Grand Moncton, exercent une influence directe sur les destinées de la ville. L'agence de développement économique de la ville vante maintenant le caractère bilingue de la main-d'œuvre locale pour attirer les investisseurs. C'est, d'une certaine manière, le caractère de plus en plus francophone de la ville qui en expliquerait le dynamisme, ce qui représente une nouvelle donne par rapport au portrait, moins souriant, de la situation des autres francophones au pays.

Martin Normand pose, pour sa part, « la question qui tue » en ce qui a trait au développement communautaire. On le sait, à partir des années 1970, le gouvernement fédéral, par l'intermédiaire du Secrétariat d'État, puis par celui de Patrimoine canadien, s'est de plus en plus impliqué dans le développement des communautés de langue officielle en situation minoritaire. Alors que les communautés comptaient, jusque-là, sur leur propre dynamisme, l'implication massive du gouvernement fédéral a eu des effets qu'il est difficile de mesurer. Si l'apport financier a permis la réalisation de nombreux projets et l'avancement tous azimuts de ce que l'on nomme traditionnellement la complétude institutionnelle (écoles, centres communautaires, etc.), le principe d'imputabilité du gouvernement l'oblige à investir dans le développement communautaire de manière « programmée », c'est-à-dire en fonction de plans et d'objectifs qu'il établit lui-même. C'est le cas, notamment, du Plan d'action sur les langues officielles adopté en 2003 et qui établit cinq priorités de développement pour les communautés de langue officielle en situation minoritaire. La question qui tue, donc, est la suivante : est-ce que les organismes représentatifs des communautés, comme l'Assemblée des francophones de l'Ontario, définissent leurs propres objectifs de développement en fonction de leurs besoins, ou se mettent-ils tout simplement au diapason de ce qui se décide aux plus hauts échelons de l'appareil fédéral ? La comparaison entre les documents détaillant les objectifs établis par certains organismes représentatifs semble indiquer que ces derniers s'inspirent assez largement, pour ne pas dire reprennent intégralement, les paramètres du plan d'action établi par le gouvernement fédéral. Doit-on conclure que ces organismes ne sont plus représentatifs de la volonté des francophones en situation minoritaire ? Difficile à dire, puisque l'on pourrait aussi conclure à partir de ce constat que le gouvernement fédéral a bien écouté les communautés francophones avant d'établir son plan, ce qui expliquerait l'homochromie entre ce plan et les revendications des organismes de représentation. Une chose est certaine, c'est que les communautés, dans leurs revendications mêmes, ont cessé d'insister sur l'importance de l'autonomie des communautés, se satisfaisant dorénavant d'être « consultées » avant la prise de décision. On est loin du tonitruant manifeste de la Fédération des francophones hors Québec *Pour ne plus être sans pays* qui réclamait une participation politique active des francophones en situation minoritaire.

Dans un autre registre, Charles Tardif et Christine Dallaire s'inté-ressent à la perception qu'ont les utilisateurs francophones de l'Est ontarien des services de santé. Les auteurs ont rencontré des patients qui, au moment de l'étude, venaient de recevoir ou recevaient toujours des services de santé à domicile. L'étude porte en partie sur les services de santé reçus en français, mais aussi sur les perceptions des utilisateurs de services sur ce que veut dire « être en santé ». L'étude vient démon-trer un certain nombre de choses. Pour les patients, avoir des services en français est davantage une priorité abstraite, au sens où la plupart jugent qu'obtenir des services en français est un droit. Cela dit, lors-qu'il s'agit *pour* eux de recevoir des services, le critère linguistique n'est pas toujours le plus important. C'est parfois le cas : pour certains patients, la possibilité de recevoir des services en français est impor-tante parce qu'ils jugent qu'ils se font mieux comprendre ainsi. Ils jugent aussi que recevoir un service dans sa langue est un gage d'une plus grande proximité avec le personnel. Mais plusieurs autres sujets de l'étude se targuent de leur bilinguisme et indiquent, de ce fait, d'autres critères de préférence, comme la compétence du personnel soignant qui serait plus importante que la langue parlée, ou tout simplement la disponibilité des services. Tardif et Dallaire constatent donc par une étude de terrain ce que l'on peut soupçonner en observant le compor-tement de la plupart des Franco-Ontariens dans leur quotidienneté : les services en français, jugent-ils tous à l'unisson, sont un droit bien important, même si à peu près personne ne les réclame vraiment.

Pierre Foucher s'interroge sur la reconnaissance des nations par la jurisprudence canadienne. Dans la mesure où plusieurs groupes d'indi-vidus au Canada considèrent former une nation (les Québécois, les Acadiens, les autochtones, entre autres), on peut se demander jusqu'à quel point les tribunaux reconnaissent le caractère multinational du pays. Comme nous le rappelle Foucher, la référence à la « nation » pose problème en droit, non seulement au Canada, mais en général. Le droit est normatif et cherche à délimiter ce qui revient à chacun. En ce sens, les grands pays ont évité le mot « nation » dans leur constitution, ce qui est aussi le cas du Canada. Par exemple, l'idée qu'il existerait une nation canadienne, quelques fois invoquée par les tribunaux dans les dernières années, apparaît longtemps après la création de l'État cana-dien. Foucher indique que la reconnaissance du caractère multina-tional du Canada n'est certainement pas pour demain. Cela dit, des décisions récentes laissent entrevoir une timide ouverture. Par exemple, la Constitution ne reconnaît pas les minorités francophones du Canada comme des nations, mais la cause *Desrochers* (2009), qui intime le gouvernement d'offrir des services de qualité égale à ceux de la majorité en consultant les minorités sur leurs besoins, constitue un début de reconnaissance de l'unicité de ces groupes et de leur besoin d'être consulté en ce qui a trait aux services qui leur sont dévolus. La reconnaissance du caractère national d'un groupe au sein de l'État canadien pose également d'autres difficultés, notamment celui de la légitimité. C'est-à-dire que l'aspiration nationale de ces groupes pose la question de la légitimité des gens qui désirent parler en leur nom, précisément parce que ces nations n'ont pas de complétude politique. En somme, l'avenir ne permet pas d'être entièrement optimiste en ce qui a très à la reconnaissance du caractère multinational du Canada. Ou plutôt, il n'est pas évident que cette improbable reconnaissance, si elle se matérialisait, puisse s'accompagner d'une dévolution de pouvoir permettant une plus large autonomie aux « nations » canadienne, comme c'est le cas dans d'autres pays multinationaux.

Diane Gérin-Lajoie adopte une approche comparative pour comprendre ce que veut dire l'identité « bilingue » de plus en plus affichée par une partie importante des jeunes fréquentant l'école française de l'Ontario et les jeunes fréquentant l'école anglaise du Québec. L'auteure part du constat que les référents identitaires sont aujourd'hui « éclatés », cependant que la mission de l'école francophone de transmettre un sentiment d'appartenance communautaire reste, pour l'essentiel, la même. Cela pose problème pour l'école minoritaire, à qui l'on assigne, du moins en Ontario, le rôle de transmettre la langue et la culture qui s'y rattachent. L'étude, qui porte sur une vingtaine d'élèves, la moitié provenant de l'Ontario, l'autre moitié provenant du Québec, montre une situation totalement différente de part et d'autre de la rivière Outaouais. En Ontario, l'école est un agent de régulation linguistique de par la volonté du ministère de l'Éducation. Cette réalité tranche avec celle des écoles anglo-québécoises, où la transmission d'un sentiment d'appartenance n'incombe pas à l'école. L'étude de Gérin-Lajoie conclut que le rôle de l'école dans la transmission identitaire est peut-être surfait, ou en tout cas, mal adapté à la réalité des jeunes francophones. Selon l'auteure, qui s'inscrit en faux contre les études statistiques qui font de l'identité bilingue une simple passerelle vers une identité unilingue anglophone, le sentiment d'appartenance à la minorité linguistique demeure important, même chez ceux qui se définissent d'abord comme bilingue, du moins dans les témoignages qu'ont livrés ces jeunes à l'équipe de chercheurs.

Isabelle Violette et Christophe Traisnel se sont intéressés aux immigrants venus s'établir en Acadie et à l'accueil que réservent les Acadiens, et plus particulièrement ses militants, à ceux venus d'ailleurs. La présence de nouveaux venus parlant français et souhaitant s'intégrer à la communauté au sens fort du terme (c'est-à-dire participer de ses institutions à la fois scolaires et communautaires), pose apparemment un certain nombre de défis aux Acadiens. Qui est Acadien? Cette question, simple en apparence, offre évidemment un nombre restreint de possibilités en ce qui a trait à l'accueil des immigrants. Définir les Acadiens comme un groupe d'individus partageant une histoire commune remontant à la Déportation, une même parlure et de mêmes habitudes de pensée est probablement ce qui se rapproche le plus de la vérité, en ce sens que les Acadiens n'ont pas besoin de grandes enquêtes sociologiques pour savoir qui ils sont. Mais l'impératif moral du moment est à la dé-essentialisation identitaire, seule manière, paraît-il, d'accueillir l'Autre (n'oubliez jamais la majuscule) convenablement. Même si les auteurs ne réfléchissent pas en ces termes, leur étude montre qu'il se produit en Acadie un phénomène analogue à celui qui s'est produit ailleurs, c'est-à-dire une forme de culpabilisation identitaire qui somme les collectivités d'accueil à redéfinir les frontières de leur communauté de manière à être le plus « inclusif » possible. Si les réponses des participants, particulièrement frappantes en ce sens, indiquent une tendance, être Acadien ne signifiera bientôt qu'une seule chose : parler français dans les Maritimes. Du moins, jusqu'à ce que l'on se mette à juger que la maîtrise de la langue française est un critère trop exigeant pour qui aimerait « faire partie » de la « communauté ». Les auteurs de l'étude, qui ne se reconnaîtraient pas du tout dans le tableau ici cyniquement brossé, voient plutôt dans ce remue-méninges identitaire qui bouleverse l'Acadie l'émergence de ce qu'ils appellent une *société francophone d'Acadie*.

Julien Massicotte termine ce numéro en y allant d'une constatation : les préoccupations des jeunes historiens acadiens sont plus proches de celles de leurs collègues anglophones des Maritimes, plutôt que de celles des Québécois ou autres Canadiens français. La situation a donc changé par rapport à celle qui prévalait dans les années 1970 et 1980, alors que les historiens acadiens étaient davantage au diapason de ce qui se faisait au Québec. L'âge des historiens serait un facteur, les plus jeunes se détournant du Québec. Selon Massicotte, les jeunes historiens seraient davantage préoccupés par l'histoire sociale, alors que les historiens de la génération précédente auraient été davantage préoccupés par les questions de nature politique ou culturelle. Les auteurs de la première génération auraient privilégié la forme de l'essai pour appréhender l'Acadie, alors que ceux de la nouvelle génération préfèrent l'étude dite « scientifique ». Le choix de l'objet d'étude, politique dans le cas des anciens historiens, social dans le cas de la seconde génération, aurait une influence aussi sur le choix des références. Les auteurs contemporains feraient beaucoup plus souvent référence à des sources anglo-maritimiennes qu'à des sources québécoises, à l'évidente satisfaction de l'auteur qui conclut, dans la dernière phrase de son texte, à une plus grande pertinence des premières par rapport aux québécoises.

Deux ou trois choses, disions-nous, d'entrée de jeu. Il en reste donc au moins une avant de terminer la présentation de ce numéro qui plaira, nous l'espérons, au lecteur. Il importe de remercier ceux qui en ont rendu la réalisation possible. Un grand merci à l'Association des universités de la francophonie canadienne (AUFC) et à son ancien directeur, Guy Gélineau, qui a appuyé financièrement le Réseau de la recherche et organisé le colloque à la source de ce projet. Merci à l'ensemble des commanditaires de l'évènement, Patrimoine canadien, le Secrétariat aux affaires intergouvernementales canadiennes du gouvernement du Québec, le Fonds de recherche sur la société et la culture, l'Agence universitaire de la francophonie ainsi que l'Association internationale des études québécoise. Merci aussi à Sylvie Lebel, adjointe à l'AUFC, qui a mis la main à la pâte pour l'organisation du colloque. Rodrigue Landry a aimablement accepté d'agir à titre de chercheur principal du colloque, colloque par ailleurs piloté pour l'essentiel par Christophe Traisnel, Christiane Bernier et l'auteur de ces lignes. Kateri Létourneau a participé activement à l'organisation logistique de cet évènement et a, par la suite, assuré avec une grande efficacité la coordination de l'évaluation scientifique de ces actes. Les membres du comité scientifique, qui se reconnaîtront, sont aussi remerciés, tout comme les évaluateurs anonymes qui ont généreusement accepté d'évaluer les textes soumis pour publication. Ne reste plus qu'à souhaiter au lecteur, ou à la lectrice, une bonne lecture.

La communauté acadienne et la gouvernance du développement économique dans une micrométropole émergente : Moncton, Nouveau-Brunswick

Greg ALLAIN
Université de Moncton
Guy CHIASSON
Université du Québec en Outaouais

L e tournant du millénaire a ramené les questions urbaines à l'avant-scène des discussions sur les politiques publiques (Andrew, Graham et Phillips, 2002). Et l'une des nouvelles clés pour aborder la politique urbaine est celle de la gouvernance, comme l'indique un ouvrage récent :

> *The policy paradigm focused on "government" has been replaced by that of "governance". Hierarchy has given way to horizontality. In contrast to the top down control and relative autonomy of the former, governance implies and relies upon interdependence-among public, private, and voluntary sectors; among governments; and across departments within the same level of government. The ability to accomplish policy goals is often dependant upon collaboration among multiple players whose interests and responsibilities intersect in a fluid and contingent way. Programs or policies are themselves increasingly conceived of as "agendas"—that is as an intersecting set of policies—rather than as autonomous, stand-alone programs*[1] (Andrew, Graham et Phillips, 2002 : 11).

Le présent texte a pour objectif de présenter une première série de résultats sur la place des Acadiens dans la gouvernance du développement économique du Moncton métropolitain.

C'est assez récemment que la question de la place des francophones dans l'espace urbain a commencé à inspirer des recherches au sein de la littérature sur les communautés francophones[2]. La perspective traditionnelle considérait la ville comme une « machine à assimiler », pour reprendre l'expression d'André Langlois (2000 : 211). Des travaux comme ceux de Roger Bernard (1990, 1998), de Charles Castonguay (1997, 1998, 2002) et de Réjean Pelletier (2003) ont longtemps soutenu, à travers des analyses de recensements canadiens successifs, que les communautés francophones (avec l'exception notable des Acadiens du Nouveau-Brunswick) s'assimilaient à des rythmes tout à fait inquiétants. Pour ces chercheurs, cette tendance forte vers l'assimilation est accélérée par la migration de plus en plus importante vers les villes, lieux par excellence de dispersion des francophones plutôt que de concentration géographique. Cette perspective, qui n'est pas sans rappeler la perspective classique de la sociologie urbaine de l'École de Chicago, voit la ville comme un espace où la cohabitation avec la majorité et ses institutions favorise l'acculturation et l'intégration (Dear, 2002 ; Germain et Allain, 2006). Langlois, dans son article de 2000, cherche à proposer une nouvelle lecture du rapport entre ville et communautés francophones :

> Enfin, la communauté linguistique à base territoriale, permettant la concentration géographique, ne serait plus le seul modèle possible assurant la survie des minorités. Par exemple, Stebbins a jeté un nouvel éclairage sur la survie en situation de minorisation extrême, et en l'absence de concentration spatiale, en montrant comment les Franco-Albertains ont tiré profit de la fréquentation d'espaces francophones à Calgary. De plus, l'émergence de nouveaux réseaux d'interaction sociale, dont l'exemple le plus récent est l'Internet, offre des possibilités d'intégration à des communautés linguistiques élargies aux ressources considérables. Beaudin, en s'interrogeant sur les difficultés de bien saisir la réalité actuelle des minorités francophones hors Québec, souligne l'importance accrue du milieu urbain comme lieu d'accès à ces réseaux pour ces minorités[3] (2000 : 216).

Cette relecture du rapport entre les francophones et l'urbain, articulée autour des notions d'espaces et de réseaux sociaux[4], a ouvert toute une série de nouveaux chantiers de recherche sur les communautés francophones (Gilbert, 1999 ; Chiasson *et al.*, 2007). Cette perspective semble particulièrement adaptée au cas de la région urbaine de Moncton où elle a permis à une nouvelle génération de chercheurs de voir des espaces de vitalité au cœur de l'urbain. En effet, nombre d'analystes voient dans cet espace urbain un lieu de forte vitalité francophone (notamment la douzaine de chercheurs, dont nous sommes, regroupés dans le Groupe de recherche interdisciplinaire sur le Moncton métropolitain, le GRIMM, créé en 2005 à l'Université de Moncton). Dans un passé pas si lointain, Moncton était vue comme une ville qui menait la vie dure aux francophones (pensons seulement au fameux Leonard Jones, maire de Moncton à la fin des années 1960 et au début des années 1970, et à ses propos méprisants à l'égard des leaders étudiants acadiens, comme en témoigne éloquemment le film désormais classique de Pierre Perrault et Michel Brault, *L'Acadie, l'Acadie*). Aujourd'hui, certains chercheurs (Lord, 2006 : 91) n'hésitent pas à parler de l'« acadianisation de Moncton », pour souligner la place grandissante qu'occupe la population acadienne dans le tissu social de la ville, et de la « monctonisation de l'Acadie », pour souligner le fort attrait de la région de Moncton sur les francophones des régions acadiennes du nord de la province (Beaudin, 2005 ; Beaudin et Landry, 2003)[5].

Ces travaux, fort éclairants par ailleurs, ont accordé peu d'attention à la question du rapport des francophones avec les institutions politiques locales. Ils se sont en effet concentrés sur les « institutions » propres à la communauté, dont l'éventail constitue la « complétude institutionnelle », pour reprendre l'expression désormais célèbre de Raymond Breton (1964), laissant ainsi dans l'obscurité toute la question du pouvoir et celle du rapport de l'interaction avec l'espace public majoritaire[6] (Thériault, 1995 ; Allain, 2006 : 111-112). Le rapport des francophones avec les institutions politiques locales – leur capacité de participer pleinement aux décisions, mais aussi leur capacité de se faire reconnaître comme un groupe légitime par le pouvoir municipal[7] – nous apparaît comme un révélateur important de la vitalité de la communauté francophone[8], surtout dans un contexte où les municipalités urbaines sont appelées à jouer des rôles de plus en plus importants (Andrew, 1999). Effectivement, un des changements récents dans la perception qu'on se fait du rôle des municipalités, c'est qu'elles ne sont plus considérées comme de simples pourvoyeuses de services (eau, égoûts, collecte des ordures, etc.), mais comme de vrais *gouvernements locaux*, comme des acteurs politiques à part entière (Andrew, Graham et Phillips, 2002 : 12). Un des champs où cette revalorisation du rôle municipal est le plus manifeste est celui du développement économique, car les municipalités se conçoivent de plus en plus comme des entrepreneurs en compétition avec d'autres municipalités pour attirer des entreprises et des investissements

(Harvey, 1989; Benfer, 1996), mais également comme une force de travail spécialisée (Donald, 2006).

C'est ce rapport entre la communauté francophone de Moncton et les institutions municipales que nous voulons aborder ici. La question de la représentation francophone municipale est présente dans le débat public à Moncton depuis un certain temps. Deux analystes acadiens ont fait valoir que c'est elle qui a fait échouer, en 1993, un projet de réforme du gouvernement provincial qui visait la fusion des villes de Moncton, Dieppe et Riverview en une seule municipalité (Bourgeois et Bourgeois, 2005, 2007).

À l'instar de ces chercheurs, nous nous intéressons à la représentation francophone, mais non pas dans le contexte de réformes administratives du pouvoir local. Notre recherche cible plutôt la *gouvernance* du développement économique. Comme nous allons le montrer dans la première partie de ce texte, le développement économique récent est très dynamique à Moncton, une situation en fort contraste avec les années 1980. Cette mise en contexte permettra de comprendre que le développement économique occupe une place absolument centrale dans l'ordre du jour de bien des acteurs de la gouvernance urbaine, y compris chez les élus municipaux. Ailleurs, nous avons déjà montré le rôle clé que la classe entrepreneuriale acadienne a joué dans le virage économique surprenant de Moncton (Allain, 2005, 2006). Dans le présent article, nous voulons plutôt tracer le portrait des stratégies des acteurs institutionnels locaux impliqués dans la gouvernance économique, pour finir avec la place que ces institutions réservent à la communauté francophone dans leurs stratégies respectives. De notre point de vue, cette place témoigne de la vitalité de la communauté et de sa capacité à occuper un espace dans les institutions publiques tout comme d'ailleurs dans le développement économique.

La croissance spectaculaire du Grand Moncton[9]

L'évolution récente de la population dans les villes du Nouveau-Brunswick est très inégale. Toutes les villes du nord de la province ont connu un déclin marqué de leur population au cours des dernières décennies. Les trois principales villes du sud présentent, pour leur part, un portrait contrasté : alors que la région métropolitaine de Saint-Jean

affiche des baisses de population à tous les recensements quinquen-
naux depuis 1991, les agglomérations de Fredericton et du Grand
Moncton ont enregistré des taux de croissance supérieurs à 10 % au
cours des années 1990 et supérieurs à 5 % entre 2001 et 2006. Pendant cette période, la population provinciale totale restait à peu près
stable.

En 2006, la population de 126 500 habitants du Grand Moncton
dépasse pour la première fois dans l'histoire celle de Saint-Jean, seule
entité néo-brunswickoise à ce jour à jouir du statut de Région métropolitaine de recensement. Le Grand Moncton vient d'accéder à ce statut, ce qui lui confère un avantage marqué, car Statistique Canada
fournit alors des données beaucoup plus détaillées sur les régions
métropolitaines, un outil important pour la promotion et le développement économique (ainsi que pour les chercheurs).

La croissance spectaculaire du Grand Moncton est d'autant plus
remarquable qu'elle a commencé à la suite d'importantes fermetures
d'entreprises au milieu des années 1970 et au cours des années 1980.
En 1976, l'abattoir Swift, installé à Moncton depuis 1925 et em-
ployant quelques centaines de personnes, fermait ses portes. Et surtout, le centre de commandes par catalogue de la compagnie Eaton (le
premier centre d'appels au Canada !), installé au centre-ville depuis
1920, cessait ses opérations la même année, en mettant à pied environ
1 500 employés. Puis, en 1988, le chemin de fer Canadien National
(CN) fermait ses ateliers de réparation à Moncton, créant 2 200 nouveaux chômeurs : c'était 15 % de la base économique qui disparaissait
(dans les années 1950 et 1960, jusqu'à 5 000 travailleurs y avaient été
employés).

Pourtant, dès le début des années 1990, Moncton renaissait de ses
cendres, conformément à sa devise : *Resurgo !* (Je renais !). En 1994, un
article du *New York Times* parlait du « Miracle monctonien » (Farmsworth, 1994) et des chercheurs l'appelaient la « Ville Timex », du nom
de cette marque de montres auxquelles on faisait subir toutes sortes
d'épreuves extrêmes dans les publicités télévisées d'il y a quelques
années et qui continuaient toujours à marquer l'heure juste (plus près
de nous, on peut penser au fameux lapin des annonces de piles
Duracell).

Malgré l'idée de continuité que projette l'image de « Ville Timex », la renaissance de Moncton a tout de même entraîné son lot de transformations. Tout d'abord, le profil économique de la ville s'est modifié de façon significative. La vocation manufacturière lourde (les ateliers de réparation des trains du CN) a aujourd'hui laissé place au secteur des services comme moteur économique de la ville (Polèse et Shearmur, 2002). Cette tertiarisation de l'économie du Grand Moncton a été accompagnée d'une répartition inégale de la croissance démographique à l'intérieur de l'agglomération. Suivant une tendance observable dans la plupart des agglomérations urbaines en Amérique du Nord (Garreau, 1991), la croissance depuis la renaissance de Moncton a profité de façon disproportionnée à la banlieue, et plus particulièrement à la banlieue francophone. De 2001 à 2006, les villes de Moncton et de Riverview ont toutes deux connu une augmentation de 5 % de leur population, alors que la ville de Dieppe (francophone à 75 %) augmentait de plus de 24 %! Cette dernière est la ville championne en matière de croissance démographique en Atlantique, la première au Nouveau-Brunswick, et la cinquième au Canada pour des communautés de sa taille, *ex æquo* avec Fort McMurray en Alberta! (Et les données de 1991 à 2001 sont encore plus saisissantes : 7,1 %, 4,5 % et 43 % respectivement.)

Renaissance et communauté francophone

Le portrait que nous venons de brosser à grands traits permet d'esquisser une dimension singulière de la trajectoire du développement économique du Grand Moncton. Certes, les tendances qui marquent la renaissance de Moncton ressemblent à bien des égards à celles qui sont observables dans bien des villes d'Amérique du Nord. Le déclin du secteur manufacturier et la tertiarisation de l'économie constituent une tendance lourde des économies urbaines canadiennes (Tremblay et Van Schendel, 1991 ; Chiasson et Simard, 2007). Même chose pour l'étalement urbain des populations et des emplois qui, malgré certaines revalorisations récentes des villes centres (Hutton, 2008), restent une donnée fondamentale du développement urbain contemporain. Ce qui est plus particulier dans le cas de Moncton, c'est le fait que la renaissance économique et démographique de l'agglomération a été portée dans une part significative par la communauté francophone. Nous avons montré ailleurs (Allain, 2005, 2006) le rôle clé joué par les entrepreneurs acadiens dans cette renaissance. La croissance impressionnante de Dieppe, une ville de banlieue très majoritairement francophone, vient confirmer que le dynamisme de l'agglomération s'explique en grande partie par la croissance exponentielle de la communauté acadienne, qui se réalise évidemment au détriment des régions « souches » du nord du Nouveau-Brunswick. Ces dernières subissent l'envers de cette croissance urbaine du sud de la province, soit la dévitalisation démographique et économique. Une étude récente des flux migratoires ruraux-urbains montrait que 71 % des migrants francophones dans le Moncton métropolitain provenaient du nord-est du Nouveau-Brunswick (Beaudin et Forgues, 2006).

Il faut mentionner que la capacité de la région de Moncton de s'affirmer comme un pôle à l'intérieur de la périphérie (Polèse et Shearmur, 2002 ; Desjardins, 2006) ne se situe pas qu'au niveau économique. La ville peut également compter sur un nombre d'infrastructures sociales et culturelles particulièrement élevé pour une ville de sa taille. Nous retiendrons, entre autres, les deux hôpitaux majeurs (un anglophone et un francophone), une université de taille moyenne (Université de Moncton) et une seconde beaucoup plus petite (Atlantic Baptist University), deux collèges de formation professionnelle et un aéroport international où défilent plus d'un demi-million de passagers par année (sans compter un important volume de fret), ainsi qu'une vitalité culturelle remarquable (sur le rôle central de Moncton dans la renaissance culturelle acadienne, voir Chiasson, 2003). Malgré cette grande effervescence culturelle, il semble que Moncton ne figure pas au rang des cités abritant une importante « classe créative », pour reprendre le concept très à la mode de Richard Florida (2002) (voir Desjardins, 2006, et Barriau, 2006).

La renaissance de Moncton nous semble un contexte particulièrement propice pour examiner les interventions économiques municipales et la place des francophones dans ces interventions. Rappelons que le conseil municipal de Dieppe est à 100 % francophone, alors que les élus francophones représentent près de la moitié (cinq sur onze) des membres du conseil municipal de Moncton, une ville de 64 000 habitants, composée à 33,5 % de francophones. La région métropolitaine de Moncton, qui comprend les municipalités de Moncton, Dieppe et Riverview, compte, pour sa part, 35 % de francophones. C'est donc dire que la participation des Acadiens à la gouvernance économique est totale à Dieppe, et presque égalitaire à Moncton.

Comme nous pourrons le voir, dans ce contexte de croissance économique forte, les municipalités de Dieppe et de Moncton vont se doter de stratégies de développement économique assez élaborées. Malgré l'attention médiatique qu'a suscitée le « miracle monctonien », les stratégies municipales sous-jacentes à cette renaissance n'ont pas vraiment fait l'objet d'études scientifiques. Notre analyse va, dans un premier temps, faire une présentation comparative des stratégies de développement économique de Moncton et de Dieppe[10]. Cela nous permettra de voir dans quelle mesure ces stratégies convergent ou divergent. Ensuite, nous étudierons plus précisément la place réservée aux francophones dans ces stratégies. Encore une fois, nous opterons pour une perspective comparative.

Les stratégies de développement économique de la région de Moncton

Les constats présentés jusqu'ici suggèrent que la forte reprise économique de Moncton est liée au renforcement de la présence francophone dans la région. Notre analyse va se centrer sur une dimension négligée de la trajectoire du développement économique de Moncton, soit le rôle joué par les municipalités. Nous montrerons plus loin dans l'article dans quelle mesure les municipalités, en particulier la municipalité de Dieppe, vont se révéler des véhicules efficaces pour une participation acadienne à la gouvernance de l'économie urbaine. Une recension des articles de la presse écrite locale a permis de confirmer que les municipalités de Moncton et de Dieppe jouent un rôle significatif dans la gouvernance du développement économique. L'importance que prend le développement économique pour ces deux municipalités est confirmée par le fait que chacune d'elles s'est dotée, depuis plusieurs années, d'appareils de promotion économique locale : la Corporation de développement économique, dans le cas de Dieppe, alors que Moncton dispose d'un bureau chargé du développement économique. Les deux villes ont aussi conçu des stratégies très détaillées de développement économique.

Afin de mieux cerner le rôle de pilotage économique des municipalités, nous avons fait une analyse des documents publics portant sur la question (incluant les sites Web) de ces deux municipalités et de la Corporation de développement économique de la Ville de Dieppe (CDEVD). Nous avons validé cette information à l'aide d'entretiens avec des fonctionnaires chargés du dossier du développement économique dans chacune des villes.

L'analyse montre que Moncton et Dieppe suivent des trajectoires de gouvernance qui se ressemblent beaucoup. Dans les deux cas, les appareils du développement économique des deux villes interviennent de diverses façons. Nous en retiendrons deux, soit le marketing urbain (Benko, 2006) et les projets d'infrastructures. Le premier registre de stratégies de développement économique (le marketing urbain et la prospection d'entreprises) est assez bien rodé dans le monde municipal canadien. Comme le fait remarquer Pierre Filion (1991), cette stratégie mène souvent à une compétition aussi féroce que stérile entre les municipalités. Dans le cas qui nous intéresse, il est utile de noter qu'autant la stratégie de marketing de Dieppe que celle de Moncton cherchent à vanter les mérites de l'économie régionale dans son ensemble et s'attardent relativement peu sur les avantages liés à la localisation dans une municipalité plutôt que dans une autre. Une exception importante à cela : les efforts notables que consentent les municipalités pour vanter leurs parcs industriels respectifs. Cela indique (une interprétation que confirment nos répondants) que dans le champ du marketing urbain, la compétition pour les investissements entre Dieppe et Moncton est présente, mais qu'elle n'empêche pas des efforts convergents pour attirer des investissements et des familles dans l'économie régionale.

Le deuxième registre de stratégies économiques est un peu moins habituel, au moins pour des municipalités comme Moncton et Dieppe, qui ne se trouvent pas au sommet de la hiérarchie urbaine. Dans les deux cas, les villes ont misé sur des travaux majeurs d'infrastructures pour attirer des investissements. Dans le cas de Dieppe, deux grands projets allant dans ce sens se démarquent. Un premier projet englobe la construction d'un nouvel hôtel de ville, d'un marché public et d'une place publique (le nom retenu, Place 1604, est hautement symbolique), c'est-à-dire un investissement public de plus de 20 millions de dollars qui vise à créer de toutes pièces un nouveau centre-ville. L'administration municipale espère que ces investissements vont avoir un effet d'entraînement sur les investissements privés, qui devraient s'agglomérer autour de ce nouvel espace public central. Le deuxième projet d'envergure amorcé par Dieppe est celui d'un parc industriel clairement conçu pour attirer des entreprises de haute technologie, un secteur de l'économie encore relativement peu développé dans l'économie régionale (Polèse et Shearmur, 2002).

Moncton fait aussi de la relance de son centre-ville une pièce maî-
tresse de sa stratégie économique et de son programme d'infrastructures. L'administration municipale tente de faire converger des
investissements publics provenant des niveaux supérieurs de gouvernement (un palais de justice et un centre des congrès) avec des travaux
d'infrastructures pour relocaliser, en partie, les axes principaux de son
centre-ville.

Ces derniers projets laissent mieux voir la compétition entre
Dieppe et Moncton. Les projets d'infrastructures menés de part et
d'autre se ressemblent beaucoup en ce qui a trait à leur cible (le développement de nouveaux créneaux de valeur ajoutée, l'attraction
d'investissements dans les centres-villes respectifs), ce qui laisse entendre que les deux villes sont en compétition pour un même créneau
économique plutôt que coordonnées dans une stratégie régionale
commune. Ces grands projets d'infrastructures se veulent assez
clairement des leviers pour infléchir la répartition régionale de la
croissance. Pour Moncton, il s'agit d'endiguer la fuite des
investissements vers la banlieue alors que pour Dieppe, il s'agit de
contester la position centrale de Moncton et de son centre-ville.

C'est donc dire que les stratégies de développement économique
oscillent entre la compétition pour la répartition intrarégionale de la
croissance et la coopération pour favoriser le développement global de
l'économie régionale. La présence d'un organisme, Entreprise Grand
Moncton, mandaté par le gouvernement provincial pour assurer la
gouvernance de l'économie régionale et qui semble un intervenant
actif et efficace au plan régional, n'a pas empêché les municipalités
locales de jouer un rôle de pivot du développement économique. Elle
n'a pas empêché non plus les municipalités de mener des actions
vigoureuses et parfois de se faire concurrence, notamment à partir de
projets d'infrastructures importants. La présence d'organismes locaux
de promotion économique en parallèle avec une agence régionale forte
atteste, à tout le moins, la nécessité politique pour les conseils municipaux de montrer à leurs électeurs qu'ils agissent, eux aussi, pour
assurer le développement économique de leur localité.

La place de la communauté francophone dans les stratégies des municipalités

Nous voudrions poursuivre notre analyse de la gouvernance économique dans le Grand Moncton en nous interrogeant sur la place qui

est faite à la dualité linguistique. La présence de deux communautés linguistiques est effectivement omniprésente dans les stratégies et les discours sur le développement économique du Grand Moncton. Dans les sites Web de la Ville de Moncton, tout comme dans celui de Dieppe et même d'Entreprise Grand Moncton, la dualité culturelle est souvent présentée à raison comme une caractéristique centrale de l'économie régionale. Cependant, comme nous pourrons le voir, ces deux municipalités construisent très différemment la portée de la dualité culturelle pour le développement économique.

Dans le cas de Moncton, on mise sur le bilinguisme de la population dans la stratégie de marketing menée auprès des entreprises et des investisseurs potentiels. Dans une économie de services comme celle où tente de se positionner Moncton, la polyvalence linguistique des individus devient un atout important, abondamment mis en vitrine par les documents officiels de la Ville. Le bilinguisme est donc une caractéristique promotionnelle dans la nouvelle économie, au même titre que pourrait l'être la main-d'œuvre peu coûteuse ou encore des infrastructures technologiques de qualité, deux dimensions qui sont également soulignées à maintes reprises par le marketing urbain de Moncton.

Cette construction promotionnelle de la dualité n'est pas absente de la stratégie de vente de Dieppe. Cependant, dans ce cas, le profil linguistique de la communauté, le fait que Dieppe soit une ville très majoritairement francophone, vient en quelque sorte légitimer la stratégie de développement économique distincte que s'est donnée la Ville. En effet, autant dans les sites Web que dans le discours des acteurs interviewés, la référence symbolique à Dieppe, avec 13 700 francophones sur une population totale de 18 300 habitants, au recensement de 2006, comme « plus grande ville de l'Acadie » (et parfois même « capitale de l'Acadie » !) est très présente. La volonté de construire un modèle d'*urbanité acadienne,* selon un haut fonctionnaire de la ville, est manifeste, et c'est elle qui justifie, en bonne partie, les ambitieux projets de construction d'un centre-ville (Place 1604) et les investissements considérables dans les infrastructures pour favoriser le développement économique. On notera au passage que ces investissements et, entre autres, la construction d'un parc aquatique, un projet de quelque 20 millions de dollars, ont d'ailleurs été contestés par une partie de la population, qui y voit une certaine démesure pour une municipalité d'assez petite taille. Les élus municipaux, pour leur part, maintiennent que ces infrastructures vont accroître la qualité de vie des citoyens de Dieppe, en attirant davantage de migrants et en perpétuant le cycle de la croissance tous azimuts que connaît la ville, y compris sur le plan économique. Bref, elles font partie de la recette pour continuer le « cercle vertueux » du développement.

Ainsi les municipalités de Moncton et de Dieppe montrent, par leurs stratégies bien définies, une volonté claire d'occuper une place importante dans la gouvernance du développement économique urbain. Cette place va nettement au-delà du modèle classique des municipalités canadiennes perçues comme « pourvoyeuses de services » (Tindal et Tindal, 2000 ; Andrew, 1999). Cependant, la ville de Dieppe, beaucoup plus clairement que Moncton, s'est manifestée comme un espace d'affirmation des Acadiens dans le domaine économique. En effet, les stratégies plutôt dynamiques de Dieppe, si elles peuvent apparaître démesurées à certains critiques, répondent évidemment à une volonté de promouvoir la croissance locale (et le maintien des revenus fonciers générés par celle-ci). Ces stratégies s'inscrivent de plus dans un projet d'occupation de l'espace urbain par les Acadiens.

Conclusion

Nous avons peint à grands traits un portrait de la gouvernance urbaine du développement économique. Ce portrait nous permet de constater un certain nombre de spécificités qui marquent la construction du Moncton métropolitain comme un lieu de gouvernance. Disons tout d'abord que la mise en place d'une capacité d'action régionale reste difficile. Si la collaboration entre le public et le privé est bien amorcée, l'articulation entre les stratégies locales et régionales semble représenter un défi.

On a pu également constater que le profil linguistique du Grand Moncton représente un facteur important de la gouvernance économique. La concentration territoriale de la communauté acadienne à Dieppe devient, en quelque sorte, un moteur de la stratégie économique « distincte » de la Ville. La municipalité se conçoit clairement comme un véhicule pour assurer une plus grande maîtrise acadienne de l'économie monctonienne. De surcroît, cette maîtrise des leviers économiques s'inscrit dans un projet plus large, celui de faire de Dieppe un lieu d'« urbanité acadienne ».

C'est donc dire que dans le cas du Moncton métropolitain, la territorialisation des communautés linguistiques (Bourgeois et Bourgeois, 2005) vient modeler la gouvernance de l'économie urbaine en se matérialisant sous la forme de projets concurrents de développement économique, qui rendent parfois difficile la coopération régionale. Une compréhension adéquate de la *gouvernance urbaine* dans le Grand Moncton doit nécessairement passer par un approfondissement du rôle des communautés linguistiques comme acteurs collectifs de cette gouvernance[11].

NOTES

1. « Le paradigme de politiques publiques centré sur le « gouvernement » a été remplacé par celui de la « gouvernance ». La hiérarchie a cédé sa place à l'horizontalité. En opposition au contrôle descendant et de l'autonomie relative du gouvernement, la gouvernance implique et s'appuie sur l'interdépendance : entre les secteurs public, privé et associatif ; entre les gouvernements ; et finalement entre les ministères d'un même palier de gouvernement. La capacité d'atteindre des objectifs de politiques publiques dépend souvent de la collaboration entre plusieurs acteurs dont les intérêts et les responsabilités se croisent d'une manière fluide et contingente. Les programmes et les politiques sont eux-mêmes conçus de plus en plus comme un ensemble de lignes directrices, c'est-à-dire une série de politiques qui se croisent plutôt que comme des programmes autonomes. » (Nous traduisons.)

2. Nous utilisons le terme « communautés francophones » pour désigner ce que l'on appelait jadis les francophones hors Québec. Nous incluons dans cette catégorie autant l'Acadie que les autres communautés francophones minoritaires.

3. Ce texte a d'ailleurs provoqué une vive polémique avec le principal représentant de ce que nous appellerons, à la suite de Claude Couture (2001), l'École alarmiste, sinon « catastrophiste » ; voir la réaction virulente de Charles Castonguay (2002) et la réplique cinglante d'André Langlois (2002).

4. Les réseaux sociaux, de par leur centralité, constituent un créneau privilégié pour observer et comprendre les sociétés postmodernes, dont la société acadienne (Allain, 2004a; 2007). Pour une analyse ingénieuse du Web comme outil de renforcement des communautés francophones sur le plan de la gouvernance, voir Chiasson *et al.*, 2007.

5. Cette tendance à la migration importante des francophones ruraux n'est évidemment pas propre à l'Acadie : la même étude constate des comportements similaires en Ontario et au Manitoba (Beaudin et Forgues, 2006). Des recherches commencent à peine à mesurer les impacts de ce phénomène sur les régions de départ, ainsi que les modalités d'intégration des migrants dans leur milieu d'accueil. (Sur le rôle majeur des réseaux sociaux dans ce dernier processus, à l'œuvre à Dieppe et à Moncton, voir la très intéressante étude de Josée Guignard, 2007.)

6. Un bilan des recherches sociologiques sur l'Acadie montre d'ailleurs que tout le champ du pouvoir a très peu été abordé par les sociologues (Allain, 2004).

7. Greg Allain et Maurice Basque ont documenté cette longue quête réussie de la reconnaissance de trois communautés acadiennes minoritaires, auprès des élites anglophones de trois villes du Nouveau-Brunswick, soit Saint-Jean, Fredericton et Miramichi (Allain et Basque, 2001; 2003; 2005).

8. Face au discours déterministe des analystes « pessimistes » d'une francophonie canadienne « hors Québec » inéluctablement vouée à une disparition plus ou moins imminente en vertu de tendances démolinguistiques lourdes, plusieurs chercheurs, dont nous-mêmes, mettent plutôt l'accent sur l'étude des signes et des facteurs de la vitalité des communautés francophones minoritaires au Canada. Parmi ceux-ci, mentionnons Joseph Yvon Thériault, Rodrigue Landry, Anne Gilbert, Linda Cardinal, Edmund Aunger, ainsi que les chercheurs associés à plusieurs centres et instituts, dont l'Institut canadien de recherche sur les minorités linguistiques, situé à l'Université de Moncton, et le Centre interdisciplinaire de recherche sur la citoyenneté et les études minoritaires, à l'Université d'Ottawa.

9. Cette section reprend en condensé certains éléments de deux textes déjà parus (Allain, 2005; 2006).

10. L'agglomération de Moncton compte une troisième ville, celle de Riverview, que nous n'avons pas incluse dans notre étude. Deux raisons motivent ce choix. Tout d'abord, la municipalité de Riverview compte très peu de résidants francophones (au nombre 1 310, soit 7,4 % de sa population) et, ensuite, une analyse sommaire du site Web de la municipalité a confirmé que cette dernière joue un rôle beaucoup moins important en matière de développement économique que les deux autres, semblant tabler surtout sur son statut de banlieue dortoir.

11. Les résultats présentés dans cet article sur le rôle municipal s'inscrivent dans un projet plus large mené par les deux auteurs et visant à comprendre la gouvernance urbaine du développement économique à Moncton. Ce projet ne se limite pas aux acteurs municipaux, mais prend en compte l'ensemble des acteurs, tant publics que privés et tant locaux que régionaux, qui interviennent dans le pilotage de l'économie régionale de Moncton.

BIBLIOGRAPHIE

ALLAIN, Greg (2004a). « Fragmentation ou vitalité ? Regard sociologique sur l'Acadie actuelle et ses réseaux associatifs », dans Simon Langlois et Jocelyn Létourneau (dir.), *Aspects de la nouvelle francophonie canadienne*, Québec, Les Presses de l'Université Laval, p. 231-254.

ALLAIN, Greg (2004b). « Les sociologues et l'Acadie : l'évolution des regards sociologiques sur la société acadienne », dans Marie-Linda Lord (dir.), *L'émergence et la reconnaissance des études acadiennes : à la rencontre de Soi et de l'Autre*, Moncton, Association internationale des études acadiennes, p. 113-136.

ALLAIN, Greg (2005). « La "nouvelle capitale acadienne" ? Les entrepreneurs acadiens et la croissance récente du Grand Moncton », *Francophonies d'Amérique*, n° 19 (printemps), p. 19-43.

ALLAIN, Greg (2006). « *"Resurgo !"* La renaissance et la métropolisation de Moncton, la ville-pivot des provinces maritimes et nouvelle capitale acadienne », *Francophonies d'Amérique*, n° 22 (automne), p. 95-119.

ALLAIN, Greg (2007). « Genèse, structure et bilan d'une manifestation sportive et identitaire pour la jeunesse acadienne : les Jeux de l'Acadie dans les provinces maritimes du Canada », dans Jean-Pierre Augustin et Christine Dallaire (dir.), *Jeux, sports et francophonie : l'exemple du Canada*, Pessac, Maison des sciences de l'Homme d'Aquitaine, p. 95-137.

ALLAIN, Greg, et Maurice BASQUE (2001). *De la survivance à l'effervescence : portrait historique et sociologique de la communauté francophone et acadienne de Saint-Jean, Nouveau-Brunswick*, Saint-Jean, Association régionale de la communauté francophone de Saint-Jean.

ALLAIN, Greg, et Maurice BASQUE (2003). *Une présence qui s'affirme : la communauté acadienne et francophone de Fredericton, Nouveau-Brunswick*, Moncton, Éditions de la Francophonie.

ALLAIN, Greg, et Maurice BASQUE (2005). *Du silence au réveil: la communauté acadienne et francophone de Miramichi, Nouveau-Brunswick*, Miramichi, Centre communautaire Beausoleil.

ANDREW, Caroline (1999). « Les métropoles canadiennes », dans Caroline Andrew (dir.), *Dislocation et permanence: l'invention du Canada au quotidien*, Ottawa, Les Presses de l'Université d'Ottawa, p. 61-79.

ANDREW, Caroline, Katherine A. GRAHAM et Susan D. PHILLIPS (2002). « Introduction: Urban Affairs in Canada: Changing Roles and Changing Perspectives », dans Caroline Andrew, Katherine A. Graham et Susan D. Phillips (dir.), *Urban Affairs: Back on the Policy Agenda*, Montréal, McGill-Queen's University Press, p. 3-20.

BARRIAU, Nicole (2006). *La classe créative et le développement économique: le cas des centres urbains du Canada atlantique*, avec la collaboration de Donald Savoie, Moncton, Institut canadien de recherche en politiques et administration publiques.

BEAUDIN, Maurice (2005). « Les francophones des Maritimes: prospectives et perspectives », dans Jean-Pierre Wallot (dir.), *La gouvernance linguistique: le Canada en perspective*, Ottawa, Les Presses de l'Université d'Ottawa, p. 77-98.

BEAUDIN, Maurice, et Éric FORGUES (2006). « La migration des jeunes francophones en milieu rural: considérations socioéconomiques et démolinguistiques », *Francophonies d'Amérique*, n° 22 (automne), p. 185-207.

BEAUDIN, Maurice, et Rodrigue LANDRY (2003). « L'attrait urbain: un défi pour les minorités francophones au Canada », *Thèmes canadiens = Canadian Issues*, février, p. 19-22.

BENFER, Wilhem (1996). « Orientations des politiques de développement économique local en République fédérale d'Allemagne et aux États-Unis », dans Christophe Demazière (dir.), *Du local au global: les initiatives locales pour le développement économique en Europe et en Amérique*, Paris, L'Harmattan, p. 77-97.

BENKO, Georges (2006). « Les villes dans l'économie globale: les stations de ski vues par le marketing », dans Diane-Gabrielle Tremblay et Rémy Tremblay (dir.), *La compétitivité urbaine à l'ère de la nouvelle économie: enjeux et défis*, Québec, Presses de l'Université du Québec, p. 67-93.

BERNARD, Roger (1990). « Le déclin d'une culture: recherche, analyse et bibliographie: francophonie hors Québec 1980-1989 », *Vision d'avenir*, Ottawa, Fédération des jeunes Canadiens français.

BERNARD, Roger (1998). *Le Canada français: entre mythe et utopie*, Ottawa, Le Nordir.

BOURGEOIS, Daniel, et Yves BOURGEOIS (2005). « Territory, Institutions and National Identity: The Case of Acadians in Greater Moncton, Canada », *Urban Studies*, vol. 42, n° 7 (juin), p. 1123-1138.

BOURGEOIS, Yves, et Daniel BOURGEOIS (2007). « La relation entre territoire et identité : construction de l'identité acadienne et urbaine dans la région du Grand Moncton », dans Martin Pâquet et Stéphane Savard (dir.), *Balises et références : Acadies, francophonies*, Québec, Les Presses de l'Université Laval, p. 105-126.

BRETON, Raymond (1964). « Institutional Completeness of Ethnic Communities and the Personal Relations of Immigrants », *American Journal of Sociology*, vol. 70, n° 2 (septembre), p. 193-205.

CASTONGUAY, Charles (1994). *L'assimilation linguistique : mesure et évolution 1971-1986*, Québec, Conseil de la langue française.

CASTONGUAY, Charles (1997). « Évolution de l'assimilation linguistique au Québec et au Canada entre 1971 et 1991 », *Recherches sociographiques*, vol. 38, n° 3, p. 469-490.

CASTONGUAY, Charles (1998). « Tendances et incidences de l'assimilation linguistique au Canada : entre les faits et l'optimisme futurologique à l'égard du français », *Études canadiennes*, n° 45, p. 65-82.

CASTONGUAY, Charles (2002). « Pensée magique et minorités francophones », *Recherches sociographiques*, vol. 43, n° 2 (mai-août), p. 369-380.

CHIASSON, Guy, et Étienne SIMARD (2007). *Les nouveaux rapports entre la ville et sa région en Outaouais : un défi pour la gouvernance*, Rapport remis au ministère des Affaires municipales et des Régions.

CHIASSON, Guy, *et al.* (2007). *Le Web comme outil pour le renforcement de la gouvernance des communautés francophones minoritaires*, Rapport de recherche présenté à l'Institut canadien de recherche sur les minorités linguistiques, [En ligne], [http://www.icrml.ca/index.php?option=com_content&task=view&id=257&Itemid=70] (21 juillet 2010).

CHIASSON, Herménégilde (2003). « Moncton et la renaissance culturelle acadienne », *Francophonies d'Amérique*, n° 22 (automne), p. 79-84.

COUTURE, Claude (2001). « La disparition inévitable des francophones à l'extérieur du Québec : un fait inéluctable ou le reflet d'un discours déterministe ? », *Francophonies d'Amérique*, n° 11, p. 7-18.

DEAR, Michael (dir.) (2002). *From Chicago to LA: Making Sense of Urban Theory*, Thousand Oaks, Sage Publications.

DESJARDINS, Pierre-Marcel (2006). « Moncton, ville émergente de la nouvelle économie en région périphérique ? », dans Diane-Gabrielle Tremblay et Rémy Tremblay (dir.), *La compétitivité urbaine à l'ère de la nouvelle économie : enjeux et défis*, Québec, Presses de l'Université du Québec, p. 195-213.

DONALD, Betsy (2006). « From the Growth Machine to the Ideas Machine: The New Politics of Local Economic Development in the High Skilled City », dans Diane-Gabrielle Tremblay et Rémy Tremblay (dir.), *La com-*

pétitivité urbaine à l'ère de la nouvelle économie, Québec, Presses de l'Université du Québec, p. 275-290.

FARMSWORTH, Clyde H. (1994). « The "Moncton Miracle": Bilingual Phone Chat », *New York Times*, 17 juillet, p. E4.

FILION, Pierre (1991). « Local Economic Development as a Response to Economic Transition », *Revue canadienne des sciences régionales*, vol. XIV, n° 3 (automne), p. 347-370.

FLORIDA, Richard (2002). *The Rise of the Creative Class, and how it's Transforming Work, Leisure, Community and Everyday Life*, New York, Basic Books.

GARREAU, Joel (1991). *Edge City: Life on the New Frontier*, New York, Random House.

GERMAIN, Annick, et Martin ALLAIN (2006). « La gestion de la diversité à l'épreuve de la métropole ou les vertus de l'adhocratisme montréalais », dans Bernard Jouve et Alain-G. Gagnon (dir.), *Les métropoles au défi de la diversité culturelle*, Grenoble, Presses universitaires de Grenoble.

GILBERT, Anne (1999). *Espaces franco-ontariens*, Ottawa, Le Nordir.

GUIGNARD, Josée (2007). *Les migrants francophones du nord du Nouveau-Brunswick dans le territoire urbain de Moncton-Dieppe : réseaux sociaux et vitalité ethnolinguistique*, Moncton, Institut canadien de recherche sur les minorités linguistiques.

HARVEY, David (1989). « From Managerialism to Entrepreneurialism: the Transformation in Urban Governance in Late Capitalism », *Geografiska Annaler*, vol. 71B, p. 3-17.

HUTTON, Tom (2008). *The New Economy of the Inner City: Restructuring, Regeneration and Dislocation in the 21st Century Metropolis*, New York, Routledge.

LANGLOIS, André (2000). « Analyse de l'évolution démolinguistique de la population francophone hors Québec, 1971-1996 », *Recherches sociographiques*, vol. 41, n° 2 (mai-août), p. 211-238.

LANGLOIS, André (2002). « Pensée obsessive et minorités francophones : quand l'obsession remplace la raison », *Recherches sociographiques*, vol. 43, n° 2 (mai-août), p. 381-387.

LORD, Marie-Linda (2006). « Cultures minoritaires et urbanité : explorations, théories et méthodes », *Francophonies d'Amérique*, n° 22 (automne), p. 91-94.

PELLETIER, Réjean (2003). « Un divorce consommé », dans Simon Langlois et Jean-Louis Roy (dir.), *Briser les solitudes : les francophonies canadiennes et québécoises*, Québec, Éditions Nota bene, p. 31-42.

POLÈSE, Mario, et Richard SHEARMUR (2002). *La périphérie face à l'économie du savoir: la dynamique spatiale de l'économie canadienne et l'avenir des régions non métropolitaines du Québec et des provinces de l'Atlantique*, avec la collaboration de Pierre-Marcel Desjardins et de Marc Johnson, Montréal, INRS-Urbanisation; Moncton, Institut canadien de recherche sur le développement régional.

THÉRIAULT, Joseph Yvon (1995). *L'identité à l'épreuve de la modernité: écrits politiques sur l'Acadie et les francophonies canadiennes minoritaires*, Moncton, Éditions d'Acadie.

TINDAL, Richard C., et Susan TINDAL (2000). *Local Government in Canada*, Toronto, Nelson.

TREMBLAY, Diane-Gabrielle, et Vincent VAN SCHENDEL (1991). *L'économie du Québec et de ses régions*, Sainte-Foy, Télé-Université; Montréal, Éditions Saint-Martin.

Le développement des communautés francophones vivant en situation minoritaire : les effets du contexte sur ses représentations en Ontario et au Nouveau-Brunswick

Martin NORMAND
Université de Montréal

L a Partie VII de la *Loi sur les langues officielles* de 1988 prévoit que « le gouvernement fédéral s'engage à favoriser l'épanouissement des minorités francophones et anglophones du Canada et à appuyer leur développement » (*Loi sur les langues officielles*, article 41). La mise en œuvre de cet engagement est au cœur des préoccupations des communautés francophones vivant en situation minoritaire et des chercheurs universitaires depuis son entrée en vigueur. Leur attention a porté principalement sur les difficultés dans la mise en application de la partie et sur les bonnes pratiques que le gouvernement devrait adopter pour s'acquitter de ses obligations (Savoie, 1998 ; Simard, 1999 ; Fédération des communautés francophones et acadienne du Canada, 2002). Généralement, ces débats tendent à placer le concept de développement au centre de l'analyse. Plusieurs études menées ou commandées par le Commissariat aux langues officielles vont aussi en ce sens (Cardinal et Hudon, 2001 ; Johnson et Doucet, 2006).

Comment les différents acteurs se représentent-ils le développement communautaire ? Nous montrerons, dans ce texte, que les représentations du développement découlent des effets structurants du contexte plus global du débat sur les langues officielles au Canada. Ces effets se font sentir sur plusieurs plans, en particulier dans les représentations du développement véhiculées par les différentes organisations provinciales qui, pour cette raison, ne varient pas beaucoup d'une communauté à l'autre.

On a peu écrit sur l'action collective dans les communautés minoritaires de langue officielle. Quelques chercheurs se sont penchés sur la question (Cardinal, 2001 ; Juteau et Séguin-Kimpton, 1993), mais il reste encore beaucoup de terrain à défricher. Les théories de l'action collective regorgent d'outils pour étudier les acteurs communautaires, dont le néo-institutionnalisme sociologique et l'analyse des revendications politiques (*political claims analysis*) que nous reprenons ici en nous inspirant des travaux de Marco Giugni (2002 ; Passy et Giugni, 2005). Ce nouvel institutionnalisme réintroduit la notion de culture et les aspects discursifs dans l'analyse de l'action collective. Il permet de combiner les facteurs politico-institutionnels et culturels dans l'étude de la politique contestataire. Selon Giugni, une telle approche est « mieux à même d'expliquer certains types de politique contestataire qu'une approche mettant l'accent uniquement sur les institutions politiques et les opportunités institutionnelles » (2002 : 72). Elle a aussi l'avantage d'« étudier comment les choix stratégiques des mouvements sociaux dépendent du contexte institutionnel et discursif dans lequel ils agissent » (p. 84-85). Ces propos nous incitent à recourir à une approche contextuelle pour rendre compte de l'évolution des discours sur le développement de la part des acteurs communautaires. En effet, en introduisant le contexte institutionnel et discursif dans l'étude de l'action des organismes représentant les communautés francophones vivant en situation minoritaire, nous sommes en mesure d'évaluer si le contexte a eu un effet contraignant sur les stratégies privilégiées par les organismes.

Toujours selon le néo-institutionnalisme sociologique, les institutions exercent un double rôle. D'abord, elles sont productrices de structures objectives qui facilitent ou contraignent l'action. En d'autres termes, elles ont un effet structurant sur l'action des groupes. Elles érigent des balises déterminant les orientations que peut emprunter l'action collective. Ensuite, elles véhiculent des récits collectifs et des répertoires culturels qui rendent l'action possible. Ces récits procurent aux acteurs des ressources symboliques suscitant l'action de deux façons. Ils « influencent la formation de groupes sociaux en façonnant leurs identités sociales » (Passy et Giugni, 2005 : 893) et ils « définissent un espace de résonance qui permet aux acteurs protestataires et à leurs revendications politiques d'être entendues et légitimées, et par voie de conséquence, d'atteindre une certaine visibilité dans l'espace public » (p. 893). Ces espaces de résonance sont en fait des opportunités discursives qui « définissent un cadre culturel où certaines identités collectives et revendications politiques ont plus de chances d'être exprimées que d'autres » (p. 895). Notre analyse reprend l'idée selon laquelle certaines institutions jouent ce double rôle dans le débat sur le développement des communautés francophones vivant en situation minoritaire. C'est d'ailleurs à travers ce double rôle que les institutions risquent d'avoir un effet contraignant sur les stratégies des acteurs communautaires.

Notre démarche s'effectue en trois temps. En premier lieu, nous déterminons comment la notion de développement en est arrivée à occuper une place aussi importante dans le discours des acteurs et des groupes porte-parole au sein des communautés francophones vivant en situation minoritaire. Ainsi, nous précisons comment le contexte historique, politique et institutionnel a influencé les diverses représentations du développement par les différents acteurs depuis les années 1970. Dans un deuxième temps, nous présentons le discours sur le développement communautaire élaboré par deux groupes en particulier : l'Assemblée de la francophonie ontarienne (AFO) et la Société des Acadiens et des Acadiennes du Nouveau-Brunswick (SAANB)[1]. Nous avons retenu deux organisations provinciales afin de pouvoir comparer leurs représentations et voir comment nous sommes en présence d'un contexte aux effets structurants. Nous limitons notre analyse à la période couverte par le Plan d'action pour les langues officielles, soit de 2003 à 2008. Le néo-institutionnalisme sociologique nous porte à croire que ce dernier joue les deux rôles d'une institution, c'est-à-dire qu'il structure l'action et qu'il est porteur de ressources symboliques. Dans un troisième temps, nous dégageons certaines constantes dans le discours des deux groupes, ce qui nous permet d'avancer que le contexte a un effet similaire sur le discours de divers acteurs.

Sur le plan théorique, nous verrons que notre étude invite à mieux prendre en compte la question du contexte. Celui-ci influence les décisions que prennent les acteurs quant aux actions à entreprendre dans le domaine du développement communautaire. Elle diffère d'une conception souvent strictement juridique et anhistorique de leur capacité d'action collective. En d'autres termes, le néo-institutionnalisme sociologique permet de mieux comprendre que derrière les mots et les politiques, il y a des débats et des contextes qui permettent d'expliquer l'action ou l'inaction des groupes et des gouvernements.

Le concept de développement

Le débat sur le développement des communautés francophones vivant en situation minoritaire au Canada a commencé bien avant l'adoption de la *Loi sur les langues officielles* de 1988. De fait, il remonte à l'adoption de la première *Loi sur les langues officielles* en 1969. À la suite de cette loi, les principaux groupes francophones intéressés par le développement communautaire investissent l'espace public et revendiquent une plus grande prise en charge de la situation des minorités francophones par le gouvernement fédéral. Ainsi, dans l'esprit de la *Loi sur les langues officielles* et des rapports de la Commission sur le bilinguisme et le biculturalisme, le Secrétariat d'État inaugure une série de programmes visant le développement des communautés minoritaires de langue officielle. À l'époque, le Secrétariat d'État avait comme mandat, notamment, d'« assurer, au sein des organismes fédéraux, l'égalité et la continuité d'emploi des deux langues officielles et en favoriser l'expansion dans la société canadienne en général » (Secrétariat d'État, 1973 : 1). De plus, par l'intermédiaire de sa Direction de l'action socioculturelle, il devait « promouvoir l'épanouissement des groupes de la minorité de langue officielle et encourager une meilleure compréhension entre les deux groupes de langue officielle » (p. 7). Selon René-Jean Ravault, qui a mené une étude sur ces programmes en 1977, les initiatives du Secrétariat d'État s'insèrent dans une idéologie du développement et de la participation. Cette idéologie suggère de décloisonner le développement du milieu économique en l'appliquant à la promotion sociale et à la démocratie participative (Ravault, 1977 : 148). Des initiatives gouvernementales en matière de développement se mettent en place dans une variété de domaines, allant de l'animation socioculturelle au soutien d'organismes provinciaux.

Devant ces interventions, d'autres acteurs s'immiscent dans le débat sur le développement. C'est le cas, notamment, du Commissariat aux langues officielles qui, dès ses débuts, « plaide pour des droits linguistiques aussi larges que possible, soustraits aux caprices gouvernementaux, et embrassant tous les aspects de la vie individuelle et collective des minorités, qu'il s'agisse d'enseignement, de services gouvernementaux ou d'administration de la justice » (Héroux, 1990 : 9). Il rappelle au gouvernement fédéral, en 1980, qu'en matière de développement communautaire, « au-delà des garanties constitutionnelles, les minorités ont un besoin pressant d'une politique globale qui viendrait satisfaire leurs besoins » (p. 11) et réitère, quelques années plus tard, la nécessité « de donner un sens plus précis et exécutoire aux droits et à la notion d'égalité des langues, d'offrir des garanties aux minorités et de poser les jalons d'une politique linguistique globale impliquant tous les intéressés » (p. 19). Ainsi, le Commissariat contribue à politiser le débat sur le développement des communautés minoritaires de langue officielle en demandant que la *Loi sur les langues officielles* soit révisée afin que soient précisées les obligations du gouvernement fédéral en matière de développement. Il veut aussi que soit créé un comité parlementaire permanent sur les langues officielles chargé d'étudier les interventions du gouvernement fédéral dans le domaine, ce qui s'est produit en 1980 par la création d'un comité spécial, devenu permanent en 1984.

La Fédération des francophones hors Québec (FFHQ), créée en 1975, agit à titre de « [p]orte-parole national et international des communautés minoritaires de langue française au Canada » et « regroupe les douze associations francophones porte-parole provinciales et territoriales, ainsi que dix organismes nationaux représentant divers secteurs d'activités » (FCFA, s. d.). Elle s'inscrit aussi dans le développement en intervenant publiquement sur le sujet par le moyen de manifestes politiques et d'études, comme *Les héritiers de Lord Durham* (1977), *Pour ne plus être sans pays* (1979) et *Pour nous inscrire dans l'avenir* (1982). Elle réclame à son tour une politique de développement global « précise, cohérente et définitive » (FFHQ, 1977 : 118). Pour elle, une politique globale « n'est pas une quête de planification étatique qui enserre, surveille, réglemente nos communautés. Au contraire, une politique globale doit viser à transférer le plus possible de pouvoirs aux communautés » (FFHQ, 1982 : 38-39). Les organisations communautaires associent le développement à l'obtention de pouvoirs, bien que ces derniers ne soient pas explicitement définis. C'est à cette condition que les francophones ne seront plus sans pays et qu'ils pourront s'inscrire dans l'avenir.

Toutefois, nous constatons qu'au fur et à mesure de l'institutionnalisation du débat sur le développement communautaire sur le plan gouvernemental, les groupes vont aussi modifier leurs discours sur leur développement. Des modifications institutionnelles ont ainsi eu un effet structurant sur le débat. Cette transformation survient à la suite de l'adoption de la *Charte canadienne des droits et libertés* et s'intensifie au moment de l'adoption de la *Loi sur les langues officielles* en raison des débats constitutionnels à l'époque. L'octroi de droits linguistiques aux communautés minoritaires de langue officielle change la donne. André Braën suggère d'ailleurs que l'adoption de la *Charte* a accentué la juridisation du débat linguistique au Canada au point où « [c]'est à partir de ce moment que l'intervention judiciaire est devenue systématique » (2006 : 292). Linda Cardinal ajoute que le discours des acteurs communautaires « devient peu à peu dominé par l'idée selon laquelle les droits linguistiques sont des droits fondamentaux » (2007 : 14). De plus, le libellé même de la Partie VII érige des balises à l'intérieur desquelles va s'articuler le discours des intervenants, qui doit dorénavant faire référence aux obligations du gouvernement fédéral en matière de développement, d'épanouissement et de promotion de la dualité linguistique.

Dans ce cadre, la FFHQ, qui devient en 1991 la Fédération des communautés francophones et acadienne du Canada (FCFA), milite pour une reconnaissance constitutionnelle des acquis dans le cadre des négociations constitutionnelles entourant l'accord du lac Meech et l'accord de Charlottetown. Elle souhaite aussi une plus grande prise en main des communautés francophones par elles-mêmes afin de briser leur lien de dépendance avec le gouvernement fédéral (FCFA, 1992). Elle revendique aussi le développement de nouvelles institutions, c'est-à-dire « la création d'espaces francophones fondés sur une affirmation de notre réalité et de nos aspirations » (p. 21), ainsi que la participation des minorités francophones au sein de l'appareil démocratique et du processus politique. Le contexte institutionnel et les débats politiques à l'époque incitent la FCFA à revoir son discours sur le développement et à l'adapter à la nouvelle donne politique. Elle ne cherche plus tant à acquérir des pouvoirs pour les communautés francophones qu'à les intégrer à l'exercice du pouvoir sur le plan institutionnel. L'effet du contexte s'est aussi fait sentir dans les propos d'autres acteurs, comme ceux du Commissariat aux langues officielles, qui doit désormais évaluer la mise en œuvre des dispositions de la *Loi sur les langues officielles* et de sa Partie VII, et ceux des tribunaux qui sont appelés à interpréter les nouveaux droits qui ont été octroyés aux communautés minoritaires de langue officielle, particulièrement l'article 23 de la *Charte* portant sur l'accès à l'éducation dans la langue de la minorité, qui a fait l'objet d'un premier recours dans la cause *Mahé*, en Alberta, au début des années 1990. Le contexte institutionnel a ainsi eu un effet contraignant sur l'action des différents acteurs en raison des nouvelles ressources symboliques qu'il véhiculait, mais aussi par les nouvelles stratégies d'action qu'il a introduites, principalement le recours à la stratégie judiciaire.

La période d'institutionnalisation des droits linguistiques est suivie de transformations gouvernementales qui, elles aussi, incitent les intervenants dans le débat à revoir leurs discours sur le développement des communautés francophones vivant en situation minoritaire. Ces transformations ont été entreprises dans l'optique d'assainir la situation financière au Canada et se sont effectuées après une réforme structurelle et un processus d'examen des programmes (Armit et Bourgault, 1996). Ces transformations gouvernementales ont eu un effet sur toute une gamme de programmes et la façon dont ils sont administrés, notamment le programme sur les langues officielles et tout le dossier de la promotion de la dualité linguistique et de l'épanouissement des communautés minoritaires de langue officielle.

Ainsi, le gouvernement fédéral a mis en place une série d'instances de gouvernance au sein desquelles les communautés sont appelées à participer (Cardinal, Lang et Sauvé, 2005), poursuivant ainsi leur plus grande intégration au sein des structures gouvernementales et administratives en lien avec la *Loi sur les langues officielles*. Dorénavant, la FCFA revendique de participer à l'élaboration et à la gestion des programmes fédéraux pour s'assurer que ceux-ci correspondent aux objectifs communautaires de développement, qui, eux, sont dorénavant définis de façon sectorielle (FCFA, 2002 ; 2004). Elle cherche à établir des partenariats avec le gouvernement fédéral et à déterminer des priorités dans quelques secteurs particuliers, comme la santé (FCFA, 2001) et l'immigration (PRA inc, 2004). Elle vise surtout l'établissement de programmes et de partenariats avec le gouvernement en vue du développement des communautés francophones vivant en situation minoritaire. Elle ne souhaite plus que les communautés se fassent octroyer de nouveaux pouvoirs. Quant au Commissariat aux langues officielles, il est intervenu afin de s'assurer que les engagements du gouvernement fédéral soient respectés malgré les transformations, notamment parce qu'il a observé que

> [l]a dévolution, le partenariat, la commercialisation et la restructuration des services et de programmes fédéraux, en plus des modifications apportées aux rapports entre les organismes centraux et les ministères, ont affaibli graduellement les droits linguistiques et les pouvoirs du gouvernement fédéral dans le

domaine des langues officielles (Commissariat aux langues
officielles, 1998).

Ce type d'affirmation est fortement teinté du contexte plus global dans
lequel se déroule le débat sur le développement des communautés
francophones vivant en situation minoritaire.

Ce survol de l'évolution du concept de développement a permis de
constater l'effet structurant du contexte et des interventions institutionnelles sur les représentations du développement communautaire. Il
nous a servi à échafauder un cadre dans lequel s'inscrit la réflexion plus
globale sur le statut et l'usage des langues officielles au Canada. À la
lumière de ce survol, nous constatons qu'il y a une trame de fond
derrière ces représentations. Il semble que les effets structurants du
contexte se soient traduits en une dépolitisation progressive des représentations du développement. Alors qu'auparavant les organisations
communautaires revendiquaient l'exercice de nouveaux pouvoirs et
une habilitation des communautés francophones vivant en situation
minoritaire, ce sont désormais des revendications de participation à la
prise de décision et de reconnaissance des acquis qui dominent le discours sur le développement. Cela laisse penser, comme notre approche
théorique le suggère, que c'est le contexte qui n'apparaît plus aussi
propice à des revendications fortement politisées, alors qu'il l'était
davantage au début du débat sur le développement communautaire.

Afin d'approfondir notre analyse et de voir comment nous
sommes en présence d'un contexte aux effets structurants à plusieurs
niveaux, nous portons notre attention sur deux organisations provinciales de représentation politique des communautés francophones
vivant en situation minoritaire. Observe-t-on les mêmes effets structurants sur les représentations du développement véhiculées par
l'Assemblée de la francophonie ontarienne et par la Société des Acadiens et Acadiennes du Nouveau-Brunswick? En gardant en tête l'évolution du concept de développement, nous situons cette partie de
l'analyse dans la période couverte par le Plan d'action pour les langues
officielles, c'est-à-dire de 2003 à 2008. Comme le porte à croire notre
cadre théorique, ce plan pourrait avoir un effet contraignant sur
l'action collective, tout comme les autres interventions institutionnelles dans le débat sur le développement. Nous cherchons à voir si cet
effet est le même d'une communauté à l'autre.

Afin de comparer l'effet structurant du Plan d'action pour les langues officielles dans deux communautés, nous retenons deux organisations provinciales dont les mandats se rejoignent, plutôt qu'une organisation nationale. De plus, le recours aux organisations provinciales nous permet de vérifier si des initiatives fédérales ont une incidence sur le contexte discursif provincial, particulièrement dans un contexte où plusieurs des domaines d'intervention définis dans le Plan d'action relèvent des compétences provinciales telles que définies par le système fédéral canadien. Cela ne veut pas dire pour autant que la FCFA n'a pas poursuivi sa réflexion sur le développement communautaire après 2003. Les documents préparés dans la foulée du Sommet des communautés francophones et acadiennes, qui s'est tenu en 2007, témoignent du processus de réflexion continuel sur cet enjeu (FCFA, 2006 ; 2007). Même si une analyse de la substance de ces récents rapports et du discours plus général sur le développement communautaire tenu par la FCFA depuis 2003 peut s'avérer pertinente, elle ne sera pas entreprise ici pour les raisons que nous venons de soulever. Ainsi, après avoir présenté les dispositions du Plan d'action pour les langues officielles et la représentation du développement qu'il véhicule, nous présenterons le discours sur le développement qu'ont tenu les deux organisations provinciales pendant cette période.

Le Plan d'action et le discours des organisations provinciales, 2003-2008

Le Plan d'action pour les langues officielles (Gouvernement du Canada, 2003) vient concrétiser le virage vers le développement sectoriel et participe d'un contexte bien précis. En effet, le Plan d'action suit la période de transformations gouvernementales. Il y est d'ailleurs souligné que la politique des langues officielles « n'a pas été épargnée par cette opération budgétaire » et que « [l]es conséquences [...] ont été particulièrement difficiles pour les communautés [minoritaires de langue officielle] » (Gouvernement du Canada, 2003 : 3). Mais désormais, avec « une situation financière assainie, le gouvernement du Canada est en mesure de réinvestir dans la politique des langues officielles de façon efficace » (p. 4) afin de « contribuer à renforcer les leviers de développement de la vie communautaire » (p. 37).

Le Plan d'action, mis sur pied en consultation avec plusieurs acteurs dans le domaine du développement communautaire, détermine des priorités en matière de développement communautaire. Il y est d'ailleurs précisé qu'il « répond aux attentes des communautés par des mesures concrètes dans les domaines sensibles de leur développement. Sa grande nouveauté est de cibler de façon particulière des domaines prioritaires » (p. 44). Cinq grands domaines prioritaires sont retenus : la petite enfance, la santé, la justice, l'immigration et le développement économique. Bien qu'il ne cible que quelques domaines, le gouvernement fédéral avance l'idée que le Plan d'action constitue une politique globale de développement.

> Mais la force de ce Plan tient moins au financement comme tel qu'à l'ensemble des mesures dont il est fait. Chacune prise isolément n'aurait pas l'effet escompté. Mais réunies dans un plan intégré, en conjonction avec l'apport des communautés, des provinces et des territoires et de tous les Canadiens, ces mesures se complètent les unes les autres en créant une synergie pour le succès (p. 65).

Cet extrait laisse entendre que le gouvernement fédéral estime qu'une politique de développement global peut être la somme d'une série de projets ponctuels dans des secteurs particuliers.

C'est en ce sens que le Plan d'action peut exercer un effet contraignant sur l'action des communautés. Ces dernières doivent s'assurer que leurs plans de développement correspondent aux ressources qui sont mises à leur disposition par l'institution fédérale. Les priorités qui sont énoncées dans le Plan d'action doivent être désormais intégrées dans le discours des organisations communautaires, et tout autre revendication de nature plus politique ou plus innovatrice ne peut être mise en œuvre dans ce cadre. Éric Forgues observe sensiblement la même tendance dans son traitement des Ententes Canada-communautés, dans le cadre desquelles l'État « tend à orienter le développement des communautés, sans oublier le fait que le développement des communautés est de plus en plus subordonné aux politiques de l'État » (2007 : 131) et où les acteurs communautaires « deviennent en quelque sorte les exécutants d'une logique de planification qui émane des exigences administratives de l'État » (p. 132). Il ajoute, d'ailleurs, que les communautés « peuvent, certes, définir des priorités de développement, mais elles doivent se soumettre à des normes administratives qu'elles ne peuvent ni définir, ni changer. Elles peuvent difficilement adapter les critères de financement à la réalité et aux besoins des organismes communautaires » (p. 134). Ainsi, les institutions fédérales auraient exercé leur double rôle, comme le propose le néo-institutionnalisme sociologique, en déposant le Plan d'action pour les langues officielles. Elles ont produit une structure objective qui contraint l'action collective en véhiculant un récit sur le développement auquel les organisations communautaires doivent adhérer pour coordonner leurs actions, et en rendant disponibles de nouvelles ressources matérielles et symboliques.

Qu'en est-il du discours sur le développement communautaire à la suite du dépôt du Plan d'action pour les langues officielles ? A-t-il eu les effets structurants que nous lui attribuons ? Voyons d'abord la Société des Acadiens et Acadiennes du Nouveau-Brunswick (SAANB). Elle « se veut le groupe de représentation collective de l'Acadie du Nouveau-Brunswick et est vouée au développement global de l'Acadie du Nouveau-Brunswick » (SAANB, 2005). Elle s'est dotée d'une approche globale de développement communautaire, qui est présentée dans son plan de développement global. Il est nécessaire de préciser que ce plan a été élaboré par le Forum de concertation des organismes acadiens, lui-même intimement lié à la SAANB. Le Forum regroupe des organismes acadiens à vocation provinciale et définit les grandes priorités de développement de la communauté (SANB, s. d.a).

Cette approche globale vise à rendre la communauté acadienne du Nouveau-Brunswick « viable, moderne, prospère et autonome » (SAANB, 2006). Pour y parvenir, elle doit valoriser son capital humain, c'est-à-dire ses intérêts, ses talents, ses compétences et son potentiel, et elle doit favoriser la concertation interorganisationnelle et interrégionale (SAANB, 2007). Bien qu'elle considère qu'une dynamique sectorielle puisse avoir un effet néfaste sur l'action collective (SAANB, 2006), la SAANB, en collaboration avec le Forum, a quand même dû se doter d'un plan de développement global qui a défini une série de priorités. D'ailleurs, un tel plan a dû être élaboré par chacune des communautés francophones vivant en situation minoritaire pour se conformer aux exigences des Ententes Canada-communautés, désormais connues sous le nom d'Accords de collaboration (Forgues, 2007).

Dans ce plan (Forum de concertation des organismes acadiens, 2004), dix axes stratégiques sont retenus. Nous y constatons l'effet structurant du Plan d'action sur la planification stratégique de la communauté et sur sa représentation du développement. En effet, chacune des priorités définies dans le Plan d'action pour les langues officielles se retrouve dans le plan du Forum de concertation des organismes acadiens. La petite enfance est incluse dans l'axe sur l'éducation et la formation. L'immigration se retrouve dans l'axe sur le développement sociocommunautaire. Quant à la santé, à la justice et au développement économique, ils font tous l'objet d'un axe distinct. Les autres axes concernent l'épanouissement de la langue française et de l'identité acadienne, le fonctionnement et la concertation des organismes, l'accès accru aux moyens de communication, le renforcement des relations avec la francophonie et le développement artistique et culturel. Ainsi, le Forum vise aussi des avenues de développement qui ne se retrouvent pas dans le Plan d'action pour les langues officielles, démontrant que, malgré tout, le Plan d'action ne freine pas systématiquement les communautés dans leurs tentatives d'innover en matière de développement communautaire.

Il serait trop long d'énumérer tous les objectifs décrits dans le plan développé par le Forum. Nous avons décidé d'en retenir trois afin de rendre compte de sa réflexion sur le développement communautaire. Deux d'entre eux montrent l'ambivalence qui existe dans la définition des rapports de pouvoir et leur incidence sur le développement communautaire. D'une part, le Forum souhaite que, pour en assurer le fonctionnement, les organismes diversifient leurs sources de financement. D'autre part, il cherche à « inciter les différents paliers gouvernementaux à doter la communauté acadienne des infrastructures nécessaires à son développement » (Forum, 2004 : 7). Ainsi, le Forum tient à la fois un discours sur l'autosuffisance et sur la dépendance à l'égard des gouvernements, à l'instar d'autres organismes, dont la FCFA. Bien qu'elles souhaitent assurer l'autodéveloppement ou l'autogestion des communautés, les organisations craignent un désengagement de l'État trop important, qui pourrait se traduire par une réduction des ressources, matérielles et symboliques, indispensables pour faire avancer leurs revendications et pour mettre en œuvre leurs objectifs particuliers. Il semble donc y avoir une certaine tension entre ces deux objectifs.

Nous souhaitons mentionner un autre objectif que poursuit le Forum, soit celui d'« appuyer l'établissement d'un pouvoir local » (p. 8). La forme que pourrait prendre ce pouvoir local n'est pas précisée dans le plan de développement global, mais il y est indiqué que cette initiative doit permettre le renforcement des capacités à s'approprier le développement communautaire. Bien que nous ne puissions prétendre, à la lumière de cet unique objectif, que les discours de la SAANB et du Forum sur le développement comprennent une dimension politique, cet objectif s'apparente tout de même à une forme d'habilitation politique des communautés. La création d'un espace public et l'appropriation du développement communautaire rappellent la réflexion de la FCFA sur le développement qui avait cours avant l'institutionnalisation des droits linguistiques et du débat sur le développement. Mais, si le discours de ces organisations provinciales n'est pas complètement dénué de référents politiques et d'objectifs originaux, il demeure que l'effet structurant du contexte apparaît dans les représentations du développement communautaire au Nouveau-Brunswick, comme en témoigne la marque que le Plan d'action a laissée sur la planification stratégique de la communauté.

Passons à l'Assemblée de la francophonie ontarienne (AFO). Cet organisme est le porte-parole de la communauté francophone de l'Ontario auprès des gouvernements fédéral et provincial. Elle s'est donnée comme mission, notamment, de « promouvoir le développement et l'épanouissement de la collectivité francophone » et de « déterminer les priorités de la collectivité » (AFO, s. d.a), tout en reconnaissant et en respectant le travail qui se fait déjà dans la collectivité. C'est sur cette base qu'elle a élaboré sa propre représentation du développement communautaire.

Le discours de l'AFO véhicule une approche du développement qui respecte la diversité des milieux et des contextes. Pour elle, les questions de développement sont « multisectorielles et multidimensionnelles » et doivent être développées dans le cadre d'une concertation « intersectorielle, interculturelle et interrégionale ». Ainsi, des milieux différents requièrent des stratégies différentes. Nonobstant ces différences, tous les intervenants communautaires souhaitent des « possibilités de participation efficiente à la prise de décision et à la définition des orientations » (AFO, 2007b).

Le respect de la diversité se reflète dans l'organisation même de l'AFO. Son conseil d'administration est composé de cinq membres représentant les régions de l'Ontario, de quatorze membres provenant de divers secteurs d'intervention et de trois membres issus des communautés raciales et ethnoculturelles francophones (AFO, s. d.c). Un parallèle peut d'ailleurs être observé entre les priorités énoncées dans le Plan d'action et certains secteurs représentés au conseil d'administration. Parmi ces secteurs, on retrouve la santé, la justice et l'économie. La petite enfance participe du secteur de l'éducation. Quant à l'immigration, un enjeu transversal et qui interpelle tous les secteurs, cette priorité est aussi mise de l'avant par les membres issus des communautés raciales et ethnoculturelles. Cette structure diffère du conseil d'administration de la SAANB, qui regroupe la présidence de la SANB, la vice-présidence à la participation citoyenne, la vice-présidence du Forum des organismes, une personne représentant les six régions du Nouveau-Brunswick, six personnes représentant le Forum des organismes, une personne représentant la communauté néo-acadienne et une personne représentant la jeunesse (SANB, s. d.b).

Un des secteurs représentés au conseil d'administration de l'AFO est celui du développement communautaire. L'objectif de ce secteur est « de donner à la communauté franco-ontarienne des outils nécessaires à son autodéveloppement dans l'esprit d'un développement durable et l'épanouissement de la francophonie en Ontario » (AFO, 2007a : 5). Pour atteindre cet objectif, des intervenants communautaires ont d'ailleurs souligné l'importance « de concerter leurs efforts, d'accroître les communications, de développer des partenariats et d'échanger leurs expériences et leur expertise pour mieux réussir » (Equinox, 2007 : 6). Toutefois, cette représentation du secteur n'est pas à l'abri des critiques. D'une part, un organisme membre de ce secteur a souligné qu'il est celui « qui compte le plus grand nombre de membres au sein de l'AFO [et qu'il] est le secteur le moins bien structuré » (AFO, 2007a : 6). D'autre part, dans le cadre d'une consultation provinciale, des intervenants ont soutenu que le « secteur Développement communautaire n'est pas bien défini au sein de la présente structure organisationnelle » (Equinox, 2007 : 6). Ces interventions témoignent d'une certaine ambivalence quant à la représentation du développement de l'AFO au sein même de sa structure organisationnelle. Un document de réflexion préparé pour l'AFO recommande d'ailleurs de présenter une définition plus précise de ce que constitue le secteur du développement communautaire (p. 7).

L'AFO s'est dotée d'un plan stratégique qui fait état de deux axes de développement. Le premier axe est celui du développement organisationnel, dans le cadre duquel elle souhaite mettre en place des mécanismes de collaboration et de concertation ainsi qu'améliorer l'efficacité de sa structure organisationnelle. Le second est celui de l'action politique. Dans cet axe, l'AFO définit trois priorités, qui sont « l'accroissement du financement du secteur communautaire francophone, la reconnaissance et l'affirmation identitaire et démographique des francophones et l'augmentation des services en français à travers la province » (AFO, s. d.b). Bien que ces priorités soient de nature politique, le discours n'a pas la facture politisée qu'avait la FCFA avant l'institutionnalisation du débat sur le développement, ni même celle de certains éléments de la planification stratégique au Nouveau-Brunswick. Nous notons l'absence, dans cet axe politique, de référence aux liens de dépendance envers l'État ou à l'habilitation politique de la communauté. Les priorités de l'AFO visent essentiellement une progression des acquis en matière de services et de ressources et ne semblent pas aller au-delà de ce qui est prévu par le Plan d'action pour les langues officielles. Ainsi, le discours de l'AFO sur le développement durant cette période correspond à ce que nous avions prévu au sujet de la dépolitisation du discours et de l'effet structurant du Plan d'action.

Il existe une planification stratégique du développement de la communauté francophone de l'Ontario, conformément aux exigences des institutions gouvernementales (Direction Entente Canada Communauté-Ontario, 2003). Toutefois, cette planification a été préparée avant l'entrée en vigueur du Plan d'action pour les langues officielles. Il n'est donc pas possible d'évaluer l'effet structurant de ce plan sur la planification stratégique en Ontario. Toutefois, une analyse rapide de la planification stratégique en Ontario nous permet d'observer que celle-ci n'a pas la même facture que celle du Nouveau-Brunswick. Nous constatons que, bien que les priorités définies dans le Plan d'action se retrouvent d'une façon ou d'une autre dans la planification stratégique ontarienne, ces priorités ne sont pas érigées en axes de développement à part entière, comme c'est le cas au Nouveau-Brunswick pour la justice, la santé et le développement économique. La planification stratégique ontarienne suggère des axes de développement plus globaux, comme l'épanouissement, la concertation et la planification, et définit des secteurs d'intervention originaux, qui ne se retrouvent pas dans le Plan d'action, comme la jeunesse, les aînés, les municipalités et les arts.

Bref, nous observons que, si la planification stratégique effectuée avant le Plan d'action est plus globale et originale, les actions prévues à la suite de son dépôt sont plus structurées par les priorités qui y sont définies. Cela montre que les institutions fédérales ont aussi eu un effet structurant sur l'action en Ontario.

Constats et conclusions

Cet exposé des représentations du développement communautaire retenues par les organismes provinciaux permet de constater que, bien qu'il existe des différences notables, il est possible de cerner certaines constantes. Ces dernières témoignent du fait que le contexte plus global du débat sur le développement a un effet structurant à plusieurs niveaux, et ce, de façon similaire.

La différence la plus importante entre les deux représentations réside dans la portée de la planification du développement. Alors qu'au Nouveau-Brunswick, nous observons le désir de mettre en place un plan global adapté aux variations locales, en Ontario, l'approche multi-sectorielle et multidimensionnelle éloigne la communauté d'une approche globale du développement. Cette différence découle directe-ment des contextes dans lesquels agissent les deux organismes porte-parole. Selon notre interprétation des discours, en dépit des disparités régionales entre les communautés au Nouveau-Brunswick, ces der-nières paraissent moins insurmontables que celles qui existent en Ontario. Le discours de la SAANB donne l'impression que la concer-tation interrégionale a comme objectif d'en arriver à une approche globale du développement de la communauté dans son ensemble et qu'il y a une forte interdépendance des régions et des secteurs d'inter-vention. En Ontario, le discours laisse plutôt présager une marge de manœuvre pour les régions et les secteurs afin que chacun puisse gérer son développement de la façon qui correspond le mieux à son con-texte. L'AFO semble tenter d'assurer une certaine cohérence des objec-tifs sectoriels et régionaux sans en influencer la portée ou la teneur.

La réflexion sur cette différence notable entre les représentations des deux organismes pourrait aussi se faire dans un autre cadre que celui du néo-institutionnalisme. Une piste à explorer serait celle de la teneur du projet collectif de ces communautés. Par exemple, d'autres chercheurs pourraient expliquer cette différence par le désir de développer un projet collectif pour l'Acadie du Nouveau-Brunswick fondé sur des référents symboliques et historiques communs. De tels référents peuvent apparaître moins rassembleurs devant l'hétérogénéité grandissante de la collectivité francophone de l'Ontario. Cette hétérogénéité nécessite la reconnaissance d'une plus grande variété d'enjeux dans le projet collectif de cette communauté. Toutefois, une telle explication nécessite une analyse de discours plus vaste que celle qui a été entreprise ici. Certains se sont engagés sur ce terrain (Bock, 2008; Thériault, 2007; Thériault et Meunier, 2008). Pour notre part, nous estimons que le projet collectif d'une communauté ne peut se résumer au discours sur le développement communautaire; il n'en constitue qu'un élément. Il devrait en aller de même pour les organisations communautaires, qui ne peuvent espérer fonder un projet de société mobilisateur simplement à partir d'un plan stratégique ou du recours à l'histoire.

Quant aux constantes entre les deux discours, elles rendent compte de l'effet structurant des institutions fédérales sur le discours des organisations provinciales. Les grandes préoccupations des deux communautés sont sensiblement les mêmes : l'affirmation identitaire, l'accès aux services et aux ressources, le développement organisationnel et institutionnel ainsi que la stabilité et la diversification du financement. À cette liste, il faut ajouter les priorités énoncées dans le Plan d'action pour les langues officielles et qui se retrouvent toutes, à des degrés divers, dans le discours des deux organisations provinciales. Nous avons vu que les cinq priorités du Plan d'action sont reprises explicitement dans la planification stratégique au Nouveau-Brunswick. Dans le cas de l'AFO, toutes les priorités sont défendues par un secteur représenté au conseil d'administration.

De plus, nous avons observé qu'il n'y a pas unanimité concernant la représentation du développement communautaire de chacune des organisations. Nous avons noté que le secteur du développement communautaire de l'AFO n'est pas défini de façon précise. Quant à la SAANB, elle oscille entre les effets pressentis de la planification sectorielle et le souhait de doter la communauté d'un projet global rassembleur. Nous avons aussi observé que le discours des organisations sur le type de rapports qui doivent être entretenus avec les instances gouvernementales est teinté d'une tension entre un objectif d'autosuffisance et la nécessité de l'intervention gouvernementale.

Nous avons finalement souligné que les représentations du développement communautaire des deux organisations provinciales sont dépolitisées, bien qu'à un niveau moindre au Nouveau-Brunswick. Cette dépolitisation rappelle celle qui s'est amorcée dans le discours de la FCFA avec l'institutionnalisation du débat sur le développement. À l'origine, les représentations du développement abordaient l'habilitation politique des communautés : le transfert de pouvoirs vers les communautés, l'accès à de nouveaux espaces publics, la diffusion des enjeux propres à la francophonie canadienne, le bris des liens de dépendance avec l'État, la redéfinition des rapports de pouvoir et l'autodétermination des priorités. Aujourd'hui, les discours de l'organisme national et des deux organismes provinciaux étudiés portent sur l'accès aux services, sur le maintien des garanties constitutionnelles et juridiques, sur l'augmentation des ressources mises à la disposition des communautés de la part des gouvernements fédéral et provinciaux et sur la participation aux instances démocratiques existantes. Comme ce discours est partagé par les organismes étudiés, nous croyons que l'effet structurant du contexte global du débat sur le développement communautaire se fait sentir à plusieurs niveaux, en particulier aux paliers fédéral et provincial.

En effet, les récentes représentations du développement communautaire semblent influencées par l'action du gouvernement fédéral dans le domaine, qui vient, en quelque sorte, structurer les orientations que doit prendre le développement communautaire. Ainsi, les institutions fédérales et les récits qu'elles véhiculent, notamment le Plan d'action pour les langues officielles, ont exercé le double rôle que le néo-institutionnalisme accorde aux institutions. Elles ont créé une structure contraignant l'action collective des communautés francophones vivant en situation minoritaire et ont proposé un récit déterminant les ressources matérielles et symboliques à la disposition des groupes. Ce double rôle est apparent dans la teneur que prennent les discours de l'AFO et de la SAANB suite au Plan d'action.

Le contexte dans lequel tous ces acteurs interagissent est encore en transformation. Avec l'amendement à la Partie VII de la *Loi sur les langues officielles* obligeant le gouvernement fédéral à prendre des mesures positives à l'égard du développement et de l'épanouissement des communautés minoritaires de langue officielle et le dépôt de la Feuille de route pour la dualité linguistique canadienne, qui établit de nouvelles priorités et de nouvelles modalités d'action (Gouvernement du Canada, 2008), les occasions sont nombreuses afin que s'organise l'action collective des communautés autour d'une nouvelle conception plus politisée du développement, bien que ces transformations institutionnelles puissent engendrer de nouveaux effets structurants qui décourageraient l'innovation dans les discours et dans les représentations. Des organisations dont la vocation est la représentation politique doivent aller au-delà de la prestation de services et de la participation aux instances décisionnelles et aborder l'investissement de l'espace public et l'habilitation politique comme des moyens de développement communautaire. Au même titre que la FCFA entrevoit « un grand potentiel de créativité et d'innovation » (Comité sénatorial permanent des langues officielles, 2006) associé aux nouvelles obligations du gouvernement fédéral, les organisations communautaires peuvent aussi faire preuve de créativité et d'innovation en profitant du nouveau contexte qui se dessine.

Y aurait-il lieu, pour les organisations représentant les communautés francophones vivant en situation minoritaire, de s'inspirer d'autres groupes qui adhèrent toujours à une conception plus politisée du développement communautaire, notamment les communautés autochtones du Canada ou, plus simplement, des discours qu'elles tenaient elles-mêmes avant l'institutionnalisation des droits linguistiques? Un tel exercice permettrait-il de pallier une perte de mémoire collective et institutionnelle tout en faisant émerger une nouvelle façon de projeter ces communautés dans l'avenir? Une réflexion plus politisée sur le développement communautaire susciterait-elle l'engagement citoyen et contribuerait-elle au renouvellement des membres des organisations communautaires? Tout cela reste à échafauder, mais il serait regrettable de laisser passer les occasions qui se présentent.

NOTE

1. Lors d'une assemblée provinciale tenue en 2008, la Société des Acadiens et Acadiennes du Nouveau-Brunswick a changé de nom pour la Société de l'Acadie du Nouveau-Brunswick. Nous retenons l'appellation précédente puisque c'est celle qui avait cours durant la période étudiée.

BIBLIOGRAPHIE

ARMIT, Amelita, et Jacques BOURGAULT (dir.) (1996). *L'heure des choix diffi-ciles: l'évaluation de l'examen des programmes*, Toronto, Institut d'admi-nistration publique du Canada.

ASSEMBLÉE DE LA FRANCOPHONIE DE L'ONTARIO (s. d.a). « Mission », [En ligne], [http://afo.franco.ca/index.cfm?Voir=sections_liste&Id=4169&M =1293&Sequence_No=4169&Niveau=2&Repertoire_No=2137987376] (26 avril 2008).

ASSEMBLÉE DE LA FRANCOPHONIE DE L'ONTARIO (s. d.b). « Plan stratégique 2006-2008 », [En ligne], [http://afo.franco.ca/index.cfm?Voir=sections_ liste&Id=4173&M=1293&Sequence_No=4173&Niveau=2&Repertoire _No=2137987376] (26 avril 2008).

ASSEMBLÉE DE LA FRANCOPHONIE DE L'ONTARIO (s. d.c). « Qu'est-ce que l'AFO », [En ligne], [http://afo.franco.ca/index.cfm?Voir=sections_liste &Id=5835&M=1293&Sequence_No=5835&Niveau=2&Repertoire_ No=2137987376] (24 juin 2008).

ASSEMBLÉE DE LA FRANCOPHONIE DE L'ONTARIO (2007a). *Document de réflexion – Développement communautaire et régional: concertation, enjeux et perspectives d'avenir*, [En ligne], [http://afo.franco.ca/documents/2007_ doc_reflexion_afo_final.pdf] (26 avril 2008).

ASSEMBLÉE DE LA FRANCOPHONIE DE L'ONTARIO (2007b). *Réfléchir pour agir: mémoire de l'Assemblée de la francophonie de l'Ontario présenté à la FCFA en préparation du Sommet des communautés francophones et acadiennes*, [En ligne], [http://afo.franco.ca/index.cfm?Voir=attachement_pop&Id=4700 &Repertoire_No=2137987376] (26 avril 2008).

BOCK, Michel (2008). « Se souvenir et oublier: la mémoire du Canada fran-çais, hier et aujourd'hui », dans Joseph Yvon Thériault, Anne Gilbert et Linda Cardinal (dir.), *L'espace francophone en milieu minoritaire au Canada: nouveaux enjeux, nouvelles mobilisations*, Montréal, Fides, p. 161-203.

BRAËN, André (2006). « La promotion des droits linguistiques au Canada: dialogue ou chaise musicale? », dans André Braën, Pierre Foucher et Yves Le Bouthillier (dir.), *Langues, constitutionnalisme et minorités*, Markham, LexisNexis Butterworths, p. 289-308.

CANADA. MINISTÈRE DE LA JUSTICE (1988). *Loi sur les langues officielles*, [En ligne], [http://lois.justice.gc.ca/PDF/Loi/O/O-3.01.pdf] (19 août 2010).

CARDINAL, Linda (2001). *Chroniques d'une vie politique mouvementée: l'Ontario francophone de 1986 à 1996*, Ottawa, Le Nordir.

CARDINAL, Linda (2007). « La *Charte canadienne des droits et libertés* et la juridisation du débat linguistique au Canada : bilan et enjeux », Colloque de l'Association allemande d'études canadiennes du 16 au 19 juin 2007, Grainau, Allemagne.

CARDINAL, Linda, et Marie-Ève HUDON (2001). *La gouvernance des minorités de langue officielle au Canada : une étude préliminaire*, Ottawa, Ministre des Travaux publics et Services gouvernementaux Canada.

CARDINAL, Linda, Stéphane LANG et Anik SAUVÉ (2005). *Apprendre à travailler autrement : la gouvernance partagée et le développement des communautés minoritaires de langue officielle au Canada*, avec la collaboration de Caroline Andrew, Luc Juillet et Gilles Paquet, Ottawa, Chaire de recherche sur la francophonie et les politiques publiques, Université d'Ottawa, [En ligne], [http://www.sciencessociales.uottawa.ca/crfpp/pdf/rapport_gouvernance_12-2005.pdf] (30 avril 2009).

COMITÉ SÉNATORIAL PERMANENT DES LANGUES OFFICIELLES (2006). *Délibérations du Comité sénatorial permanent des langues officielles*, témoignage de Lise Routhier-Boudreau, vice-présidente de la FCFA, Fascicule n° 4, 19 juin, [En ligne], [http://www.parl.gc.ca/39/1/parlbus/commbus/senate/Com-f/offi-f/04cv-f.htm?Language=F&Parl=39&Ses=1&comm_id=595] (15 juin 2008).

COMMISSARIAT AUX LANGUES OFFICIELLES (1996). *Un tracé pour agir : la mise en œuvre de la Partie VII de la Loi sur les langues officielles de 1988*, Ottawa, Le Commissariat.

COMMISSARIAT AUX LANGUES OFFICIELLES (1998). *Les effets des transformations du gouvernement sur le programme des langues officielles du Canada*, Ottawa, Le Commissariat, [En ligne], [http://www.ocol-clo.gc.ca/html/stu_etu_031998_f.php] (3 mai 2009).

DIRECTION ENTENTE CANADA COMMUNAUTÉ-ONTARIO (2003). *En bref... la planification stratégique communautaire de l'Ontario français*, [En ligne], [http://afo.franco.ca/documents/2003_planstrategiquecommunaut_synthese.pdf] (26 avril 2008).

EQUINOX (2007). *Rapport de la tournée de consultation tenue en mars 2007. Développement communautaire et régional : concertation, enjeux et perspectives d'avenir*, [En ligne], [http://afo.franco.ca/documents/2007_consultation_rapportfinal_afo.pdf] (26 avril 2008).

FÉDÉRATION DES COMMUNAUTÉS FRANCOPHONES ET ACADIENNE DU CANADA (s. d.). *À propos de la FCFA*, [En ligne], [http://www.fcfa.ca/index.cfm?Repertoire_No=-786718320&Voir=menu&M=2299] (24 juin 2008).

FÉDÉRATION DES COMMUNAUTÉS FRANCOPHONES ET ACADIENNE DU CANADA (1992). *Dessein 2000 : pour un espace francophone*, Ottawa, La Fédération, [En ligne], [http://www.fcfa.ca/documents/470.pdf] (19 août 2010).

FÉDÉRATION DES COMMUNAUTÉS FRANCOPHONES ET ACADIENNE DU CANADA (2001). *Pour un meilleur accès à des services de santé en français*, Ottawa, La Fédération, [En ligne], [http://www.fcfa.ca/documents/82.pdf] (30 avril 2009).

FÉDÉRATION DES COMMUNAUTÉS FRANCOPHONES ET ACADIENNE DU CANADA (2002). *Des communautés en action: politique de développement global à l'égard des communautés francophones et acadiennes en situation minoritaire*, Ottawa, La Fédération, [En ligne], [http://bv.cdeacf.ca/bvdoc.php?no= 2004_12_0546&col= EA&format=htm&ver=old] (19 août 2010).

FÉDÉRATION DES COMMUNAUTÉS FRANCOPHONES ET ACADIENNE DU CANADA (2004). *Présentation de Georges Arès, président de la Fédération des communautés francophones et acadienne du Canada, au Comité du Sénat pour les langues officielles*, Ottawa, La Fédération, [En ligne], [http://www.fcfa.ca/documents/127.pdf] (19 août 2010).

FÉDÉRATION DES COMMUNAUTÉS FRANCOPHONES ET ACADIENNE DU CANADA (2006). *Sommet des communautés francophones et acadiennes: document de présentation*, Ottawa, La Fédération, [En ligne], [http://www.fcfa.ca/documents/559.pdf] (19 août 2010).

FÉDÉRATION DES COMMUNAUTÉS FRANCOPHONES ET ACADIENNE DU CANADA (2007). *De mille regards, nous avons créé une vision : actes du Sommet des communautés francophones et acadiennes*, Ottawa, La Fédération, [En ligne], [http://www.fcfa.ca/documents/SCFA-Actes_du_Sommet.pdf] (3 mai 2009).

FÉDÉRATION DES FRANCOPHONES HORS QUÉBEC (1977). *Les héritiers de Lord Durham*, vol. I, Ottawa, FFHQ.

FÉDÉRATION DES FRANCOPHONES HORS QUÉBEC (1979). *Pour ne plus être sans pays : une nouvelle association pour les deux peuples fondateurs*, Rapport du comité politique de la Fédération des francophones hors Québec, Ottawa, FFHQ.

FÉDÉRATION DES FRANCOPHONES HORS QUÉBEC (1982). *Pour nous inscrire dans l'avenir*, Rapport du comité de la politique de développement global de la Fédération des francophones hors Québec, Ottawa, FFHQ.

FORGUES, Éric (2007). *Du conflit au compromis linguistique: l'état et le développement des communautés francophones en situation minoritaire*, Moncton, Institut canadien de recherche sur les minorités linguistiques.

FORUM DE CONCERTATION DES ORGANISMES ACADIENS DU NOUVEAU-BRUNSWICK (2004). *Plan de développement global de l'Acadie du Nouveau-Brunswick 2004-2009.*

GIUGNI, Marco (2002). « Ancien et nouvel institutionnalisme dans l'étude de la politique contestataire », *Politique et Sociétés*, vol. 21, n° 3, p. 69-90.

GOUVERNEMENT DU CANADA (2003). *Le prochain acte: un nouvel élan pour la dualité linguistique canadienne. Le Plan d'action pour les langues officielles*,

[En ligne], [http://www.francotnl.ca/FichiersUpload/Documents/2007 0900PlanDion.pdf] (19 août 2010).

GOUVERNEMENT DU CANADA (2008). *Feuille de route pour la dualité linguistique canadienne 2008-2013 : agir pour l'avenir*, [En ligne], [http://www. pch.gc.ca/pgm/slo-ols/pubs/08-13-LDL/index-fra.cfm] (19 août 2010).

HÉROUX, Maurice (1990). *Historique du Commissariat aux langues officielles, 1970-1989*, Ottawa, Commissariat aux langues officielles.

JOHNSON, Marc L., et Paule DOUCET (2006). *Une vue plus claire : évaluer la vitalité des communautés de langue officielle en situation minoritaire*, Ottawa, Ministre des Travaux publics et des Services gouvernementaux Canada.

JUTEAU, Danielle, et Lise SÉGUIN-KIMPTON (1993). « La collectivité franco-ontarienne : structuration d'un espace symbolique et politique », dans Cornelius J. Jaenen (dir.), *Les Franco-Ontariens*, Ottawa, Les Presses de l'Université d'Ottawa, p. 265-304.

PASSY, Florence, et Marco GIUGNI (2005). « Récits, imaginaires collectifs et formes d'action protestataire : une approche constructiviste de la contestation antiraciste », *Revue française de science politique*, vol. 55, n⁰ˢ 5-6 (novembre), p. 889-918.

PRA INC. (2004). *Évaluation de la capacité des communautés francophones en situation minoritaire à accueillir de nouveaux arrivants*, étude réalisée pour le compte de la Fédération des communautés francophones et acadienne du Canada, [En ligne], [http://www.fcfa.ca/documents/51.pdf] (3 mai 2009).

RAVAULT, René-Jean (1977). *La francophonie clandestine ou De l'aide du Secrétariat d'État aux communautés francophones hors Québec de 1968 à 1976*, rapport présenté à la Direction des groupes minoritaires de langue officielle du Secrétariat d'État.

SAVOIE, Donald J. (1998). *Collectivités minoritaires de langues officielles : promouvoir un objectif gouvernemental*, Ottawa, rapport présenté à la demande du ministère du Patrimoine canadien, du Secrétariat du conseil du Trésor et du Bureau du Conseil privé.

SECRÉTARIAT D'ÉTAT (1973). *Secrétariat d'État : programmes et agences affiliées*, Ottawa, Information Canada.

SIMARD, Jean-Maurice (1999). *De la coupe aux lèvres : un coup de cœur se fait attendre. Le développement et l'épanouissement des communautés francophones et acadiennes : une responsabilité fondamentale du Canada*, Ottawa, rapport présenté au Sénat du Canada.

SOCIÉTÉ DE L'ACADIE DU NOUVEAU-BRUNSWICK (s. d.a). *Forum des organismes*, [En ligne], [http://www.sanb.ca/?Id=44] (23 août 2010).

SOCIÉTÉ DE L'ACADIE DU NOUVEAU-BRUNSWICK (s. d.b). « Règlement général », [En ligne], [http:/www.sanb.ca/?Id=8].

SOCIÉTÉ DES ACADIENS ET ACADIENNES DU NOUVEAU-BRUNSWICK (2005). « À propos de la SAANB », [En ligne], [http://www.saanb.org/a_propos. htm] (26 avril 2008).

SOCIÉTÉ DES ACADIENS ET ACADIENNES DU NOUVEAU-BRUNSWICK (2006). *Mémoire de la SAANB présenté à la Commission consultative sur la gouvernance de la société civile acadienne et francophone du Nouveau-Brunswick*, [En ligne], [http://www.saanb.org/references/Alloc_mem_etudes/mem_ mai_06.html] (26 avril 2008).

SOCIÉTÉ DES ACADIENS ET ACADIENNES DU NOUVEAU-BRUNSWICK (2007). *Pour atteindre l'autosuffisance en 2006, la SAANB choisit le développement durable de nos régions,* mémoire présenté par la Société des Acadiens et Acadiennes du Nouveau-Brunswick au Groupe de travail sur l'auto-suffisance, [En ligne], [http://www.saanb.org/neuf/communique/2007/ 430.htm] (26 avril 2008).

THÉRIAULT, Joseph Yvon (2007). *Faire société : société civile et espaces francophones*, Sudbury, Prise de parole.

THÉRIAULT, Joseph Yvon, et E.-Martin MEUNIER (2008). « Que reste-t-il de l'intention vitale du Canada français ? », dans Joseph Yvon Thériault, Anne Gilbert et Linda Cardinal (dir.), *L'espace francophone en milieu minoritaire au Canada : nouveaux enjeux, nouvelles mobilisations*, Montréal, Fides, p. 205-238.

La satisfaction des patients francophones de l'Est de l'Ontario traités en réadaptation à domicile

Charles Tardif et Christine Dallaire
Université d'Ottawa

L'analyse de la perception des utilisateurs de services de santé sur les traitements offerts ou reçus permet d'examiner certaines facettes du système de santé. Par exemple, plusieurs auteurs soulignent que la satisfaction procurée par les services de santé est un indicateur de la qualité des services ou, du moins, que sa mesure permet de dépister des problèmes potentiels (Ching-Chow, 2003 ; Geron *et al.*, 2000 ; Herman, Spreeuwenberg et van der Pasch, 1998 ; Porter, 2004 ; Renzi *et al.*, 2005 ; Ryden *et al.*, 2000 ; Widén Holmqvist, von Koch et de Pedro-Cuesta, 2000). Certains affirment également que la perception des services influence la façon dont les patients les utilisent. Ces derniers considèrent que des services de santé satisfaisants facilitent l'accès aux soins et l'adhésion aux traitements puisque les utilisateurs sont moins réticents à consulter les professionnels en cas de besoin (Widén Holmqvist, von Koch et Pedro-Cuesta, 2000 ; Zastowny, Roghmann et Cafferata, 1989). Analyser la perception qu'ont les utilisateurs des services qu'ils reçoivent s'avère utile pour mieux comprendre le système de santé et les comportements en matière de santé.

L'évaluation des services de santé reçus peut tenir compte non seulement des connaissances et des croyances strictement médicales, mais aussi des valeurs culturelles et même identitaires (Hayday, 2002 ; Lupton, 1995, 2003 ; Osborne, 1997 ; Petersen et Bunton, 1997 ; Robertson, 1998 ; Shaw et Aldridge, 2003 ; Turris, 2005 ; Weech-Maldonado *et al.*, 2003). Les événements survenus pour la sauvegarde de l'Hôpital Montfort en 1996 illustrent comment des domaines comme l'épanouissement de la francophonie, qui semblent *a priori* extérieurs au domaine de la santé, peuvent s'infiltrer dans la façon dont les patients perçoivent les services de santé (Gilbert *et al.*, 2005). De tels points de rencontre entre les domaines médical et social influencent certainement la conception d'un service de santé de qualité chez les Franco-Ontariens.

Cependant, peu d'études se penchent sur les critères qu'emploient les membres de la communauté franco-ontarienne pour évaluer les services de santé reçus. Cette étude vise donc à relever les éléments qui donnent satisfaction aux patients franco-ontariens qui reçoivent des services de réadaptation à domicile dans l'Est de l'Ontario. Par exemple, on accorderait plus d'importance à langue dans l'évaluation des services, étant donné le lieu privé de prestation en comparaison aux soins offerts en milieu hospitalier ou institutionnel (Angus *et al.*, 2005). Il est important de disposer de données sur les perceptions des patients franco-ontariens à propos des services reçus et sur l'importance du français dans leur évaluation d'un service de santé de qualité. L'article répertorie, premièrement, les discours sur les services de santé et sur la francophonie qui émergent des propos des patients francophones quand ils discutent des soins de santé reçus à domicile et qu'ils expliquent pourquoi ils sont satisfaits des services. Deuxièmement, l'analyse met en lumière les conditions discursives qui accordent une plus grande importance à la langue de service dans l'évaluation des soins reçus à domicile chez les francophones de l'Ontario.

Détails méthodologiques

Un sous-échantillon de participants francophones prenant part à une collecte de données quantitative parallèle sur la satisfaction des services de santé ont expliqué les raisons de leur satisfaction des services de réadaptation à domicile au cours d'entrevues. Les données obtenues auprès des participants interviewés ont été recueillies en trois étapes. Pour la première étape, le patient inscrivait ses caractéristiques sur un questionnaire démographique. L'étape suivante consistait à répondre à la Méthode d'évaluation des services de santé (MESS) mesurant quantitativement les différentes dimensions de la satisfaction à l'égard des services de réadaptation à domicile. En plus de fournir une mesure de la satisfaction, cette première étape incitait le participant à réfléchir aux éléments d'évaluation des soins reçus afin de faciliter la discussion et ainsi enrichir les entretiens subséquents. La MESS permet d'évaluer les soins de santé à domicile à partir de dix critères de satisfaction. L'un d'eux concerne la langue de traitement. Les autres critères sont la coordination des soins, les premiers contacts, l'horaire, la participation et l'implication du patient dans les décisions relatives aux traitements, la diversité des services offerts, les rapports avec le professionnel de la santé et avec le personnel de soins infirmiers, les bénévoles et les résultats obtenus. La description détaillée de l'outil de mesure ainsi que l'analyse des résultats provenant de ce volet quantitatif sont présentées par Charles Tardif (2009).

La troisième étape consistait à recueillir les propos des participants sur les services de réadaptation à domicile à l'aide d'entrevues semi-dirigées. Les entretiens abordaient d'abord des thématiques plus larges, dont la définition de la santé, la responsabilité en matière de santé et les critères d'un service de santé de qualité. D'autres thématiques reliées à la question des services en français soutenaient ensuite les discussions : le droit à la santé, l'accès aux services de santé en français ainsi que le rôle de l'institution pour la communauté francophone. Enfin, les entrevues se terminaient par un retour sur l'évaluation des soins reçus effectuée à l'aide de la MESS, incitant les participants à expliquer leur jugement sur les dix critères de satisfaction des services de réadaptation à domicile. C'est à partir de ces entretiens, enregistrés puis transcrits, que les discours qui contribuent à la construction de la satisfaction des patients face aux services de santé ont été établis.

Deux centres d'accès aux soins communautaires (CASC) de l'Est de l'Ontario responsables des services de réadaptation à domicile, c'est-à-dire le CASC des comtés de l'Est et le CASC d'Ottawa, ont collaboré au recrutement des participants. Les soins de santé inclus dans l'étude concordent avec la définition des services de santé à domicile présentée par le gouvernement fédéral : un ensemble de services permettant à l'individu avec des incapacités mineures ou majeures de vivre à la maison avec dignité et indépendance (Institut canadien d'information sur la santé, 2007). Les interventions à domicile comprises dans l'étude sont offertes dans le but de conserver, d'améliorer ou de restaurer les capacités physiques et mentales afin d'augmenter l'autonomie fonctionnelle, l'indépendance et le mieux-être (ILO, UNESCO et WHO, 1994). Elles incluent donc une variété de soins, soit des services infirmiers, d'ergothérapie, de physiothérapie, de travail social, de soins personnels (aide pour le bain, transferts, habillage), ou d'autres aides

quotidiennes comme le ménage et la lessive pour pallier divers problèmes de santé (musculosquelettiques, cardio-pulmonaires, neurolo-
giques, respiratoires ou même une diminution de la performance
physique menaçant l'autonomie).

Tous les patients de langue maternelle française de l'Est de
l'Ontario ayant reçu au moins une visite à domicile sous la direction
d'un CASC, dans les six derniers mois, pour des soins de réadaptation
physique étaient considérés pour l'étude. Le participant ne devait
cependant pas présenter d'amnésie et devait être orienté dans l'espace
et le temps. Tous ceux et celles qui se sont portés volontaires pour
participer à l'étude et qui correspondaient à ces critères ont été retenus.
Des 26 participants qui ont pris part au volet quantitatif, 12 ont de
plus accepté de participer aux entrevues. Il s'agit de huit femmes et de
trois hommes de 50 à 86 ans et d'un homme de 25 ans. Le tableau 1
résume les caractéristiques des participants interviewés. Six personnes
étaient originaires de l'Ontario alors que cinq étaient nées au Québec
et une au Nouveau-Brunswick. De plus, neuf personnes vivaient à la
maison et trois participants demeuraient en résidence pour personnes

Tableau 1
Caractéristiques des participants

Participant	1	2	3	4	5	6	7	8	9	10	11	12
Âge	72	59	67	70	85	80	70	86	85	61	50	25
Sexe	M	M	F	F	F	F	F	F	F	F	M	M
Province d'origine	ON	ON	ON	QC	ON	QC	NB	QC	QC	ON	ON	QC
Habite en résidence d'hébergement				X	X	X						
Parle l'anglais	peu	X	X	X	X	X	X	X	X	X	peu	X
N'a aucune préférence de langue pour les traitements					X			X				
Nombre de mois qu'il reçoit les services	60	3	5	20	12	1	1	3	36	24	1	3
Demande les services en français	X	X	X		X			X	X	X	X	
Revendique les services en français		X	X						X			

semi-autonomes. Sur le plan linguistique, deux participants parlaient très peu l'anglais, deux autres ne déclaraient aucune préférence pour l'une ou l'autre des deux langues officielles alors que deux autres encore préféraient parler l'anglais lors de leurs interventions avec le professionnel de la santé.

L'analyse des discours sur la santé et sur la francophonie

L'analyse discursive est un outil efficace pour examiner comment les façons de penser, de parler et d'agir contribuent à la construction sociale de la satisfaction des francophones envers leurs services de santé. En effet, le cadre d'analyse que propose Michel Foucault permet d'étudier le contexte social, c'est-à-dire les « discours » par lesquels nous percevons, analysons et énonçons les phénomènes (Armstrong, 1994 ; Foucault, 1983, 1984). Ils dirigent nos pratiques dans divers champs de connaissances, comme les services de santé (Gastaldo, 1997 ; Gilbert *et al.*, 2005 ; Lupton, 1995, 2003) en construisant les attentes du patient, ses croyances personnelles et ses valeurs en matière de santé (Patton, 1992 ; Osborne, 1997 ; Robertson, 1998). Examiner les principaux discours relatifs à la qualité des services de santé permet de cerner les critères ou les « vérités » qu'énoncent les patients lorsqu'ils évaluent ces services. Étudier la satisfaction des bénéficiaires franco-ontariens au sujet des services de réadaptation à domicile vise l'analyse de deux types de discours qui orientent leurs perceptions des soins de santé : les discours sur la santé et les discours sur la francophonie minoritaire au Canada. Le premier type de discours est énoncé notamment par les responsables de la santé publique et les professionnels de la santé et produit différentes « vérités » qui modèlent les représentations des soins de santé. Un premier discours dominant au Canada s'inspire de la Déclaration universelle des droits de l'homme (Haut-Commissariat des Nations Unies aux droits de l'homme, 1948) ainsi que du Pacte international relatif aux droits économiques, sociaux et culturels (Haut-Commissariat des Nations Unies aux droits de l'homme, 1976) décrétant la santé comme droit fondamental. Au Canada, ce discours souligne, par ailleurs, le rôle primordial de l'État en matière de santé publique pour assurer l'accès des citoyens à des soins de santé. Trois autres discours sur les services de santé mentionnés dans les écrits scientifiques sont aussi reproduits par les participants : le déterminisme médical (Lupton, 2003), la promotion de la santé (Gastaldo, 1997 ; Lupton, 1995, 2003 ; Petersen et Bunton,

1997; Robertson, 1998) et le consommateurisme (Lupton, 2003; Osborne, 1997; Petersen et Bunton, 1997; Shaw et Aldridge, 2003; Williams *et al.*, 1999). Ces derniers discours se distinguent en raison des vérités qu'ils produisent sur la définition de la santé, la responsabilité en matière de santé et les critères à considérer dans la définition d'un soin de qualité (voir le tableau 2). Ces prémisses ont un impact certain sur l'établissement de la satisfaction du patient. Les énoncés concernant les services de santé et l'interprétation de leur qualité influencent non seulement les francophones de l'Ontario, mais aussi tous les autres utilisateurs du système de santé. Cependant, notre analyse révèle que, d'autre part, les discours sur la francophonie minoritaire agissent aussi sur les patients de langue maternelle française et sur leur évaluation des soins reçus. Ce second type de discours, promu par les porte-drapeaux des communautés francophones, associe la problématique des services de santé à l'importance de la langue des soins et au développement de la communauté. Les propos des participants reprennent deux discours sur la francophonie dans leur évaluation des soins à domicile. Le premier discours sur la francophonie souligne les ancrages juridique, linguistique et identitaire qui renvoient aux « droits » des francophones (Dubois, 1976). Le deuxième discours

Tableau 2
Sommaire des vérités des discours sur le déterminisme médical, la promotion de la santé et le consommateurisme

Le discours sur la santé repris par les patients franco-ontariens	Les vérités sur la santé et les services de santé			
	La définition de la santé	La responsabilité de la santé	Le rôle de l'expert	La définition d'un service de santé de qualité
Déterminisme médical	Physiologique, absence de maladie	Le professionnel de la santé et le système de santé	Paternalisme médical	Accès, attente, compétence.
La promotion de la santé	Capacités fonctionnelles et participation sociale	La personne, par les habitudes de vie	Consultant — Éducation	Qualités humaines
Le consommateurisme	Selon les attentes personnelles	Selon les attentes personnelles	Répondre aux besoins	Selon les attentes personnelles

porte sur l'accès à des services en français en considération de l'offre ou de la demande (Dubois, 1976 ; Fédération des communautés francophones et acadienne, 2001). Les discours sur la francophonie croisent les discours sur la santé et, dans certains cas, produisent des attentes quant à la langue utilisée dans les soins. Ces vérités produites dans les discours constituant le « patient » et le « francophone » deviennent les ressources par lesquelles les individus de langue maternelle française interrogés pour notre étude perçoivent les soins de santé et le rapport possible entre ces soins et leur francité. L'analyse des entrevues visait donc à déterminer quelles vérités des discours sur la santé évoque chacun des participants et si oui ou non ces derniers reproduisent les vérités des discours sur la francophonie pour expliquer leur satisfaction à l'égard des services de réadaptation à domicile reçus (voir le tableau 3).

Tableau 3
Discours énoncés par les participants

Discours	Vérités reproduites par les participants	Participants											
		1	2	3	4	5	6	7	8	9	10	11	12
Déterminisme médical	Définition physiologique de la santé				x		x	x					
	Paternalisme médical	x			x	x	x	x					
	Qualités techniques d'un service de santé	x				x	x	x	x				
Promotion de la santé	La définition fonctionnelle de la santé	x	x	x					x	x	x		x
	Responsabilité individuelle de la santé		x	x		x			x	x	x	x	x
	Un conseiller pour sa santé		x	x	x				x	x	x		x
Consom-mateurisme	Définition personnelle de la santé		x	x					x	x			
	Le client libre de ses choix	x	x	x					x				
	Client activiste		x	x						x			
Droit aux services en français	Ancrage juridique	x	x	x	x	x	x	x	x	x	x	x	x
	Ancrage linguistique	x	x	x		x	x		x	x		x	x
	Ancrage identitaire	x	x	x					x	x		x	
Accès aux services en français	Problème de l'offre des services	x	x					x		x			
	Problème de la demande des services	x	x	x		x			x	x		x	

Les discours sur la santé des francophones traités en réadaptation à domicile

Le droit à la santé

La nature universelle du système de santé au Canada, établissant que tous les citoyens ont droit à des soins de santé offerts de façon uniforme à travers le pays (Canada. Ministère de la Justice, 1986), est un symbole important pour les Canadiens. Il n'est donc pas surprenant que tous les participants de notre étude aient insisté sur le droit des Canadiens de recevoir des soins et sur la responsabilité de l'État en matière de santé publique pour garantir ce droit à la santé.

> Bien certain! D'avoir accès aux services de santé? C'est certain! J'espère que ça va toujours être gardé! Qu'ils ne nous enlèveront pas ça, qu'ils ne s'en aillent pas seulement en privé[1] (Participante 4).

Un autre participant renchérit :

> Comme la santé, c'est numéro un dans ta vie, dans un corps sain une tête saine, c'est certain que ce n'est pas un privilège, c'est un droit. C'est obligatoire que la société prenne soin de ses membres (Participant 2).

Des quatre discours sur la santé qui émergent des entrevues, seul celui-ci est reproduit par tous les participants. Les trois autres discours sur la santé sont articulés de façon complémentaire à celui du droit à la santé. Ils donnent à ce discours commun une couleur particulière à la définition de la santé, au rôle du professionnel de la santé et à la façon de définir ce qu'est un service de santé de qualité.

Le déterminisme médical

Deborah Lupton (1995) explique que le discours du déterminisme médical renvoie à un modèle curatif où l'offre de soins de santé par l'État représente la principale modalité légitime d'intervention en santé. L'État devient ainsi le « protecteur » des citoyens et est responsable d'assurer leur santé. Dans un tel système d'intervention en santé, le professionnel de la santé – le médecin surtout – est l'expert en ce qui concerne les décisions à prendre pour « guérir » les patients. Les participants prônant ce discours affirment que leur santé dépend d'un usage suffisant et adéquat de soins spécialisés, prodigués par des experts : « Comme je te dis, voir le médecin régulièrement, d'avoir des bons médicaments. [...] C'est toujours un suivi, il faut qu'il y ait un poursuivi... » (Participante 4)

Le déterminisme médical : la définition physiologique de la santé

Les participants s'inscrivant dans ce discours jugent qu'ils sont en santé lorsqu'ils ne souffrent d'aucun malaise physique ou mental. « Être cent pour cent en santé, c'est ne pas avoir de malaise, pas de bobos » (Participante 6). Cette conception de la santé s'apparente au modèle biomédical qui réduit la santé à l'absence de désordre physique, en contraste par exemple avec le modèle bio-psycho-social, qui considère le fonctionnement de l'individu dans son environnement social en fonction de ses capacités physiques et psychologiques (Higginbotham, Albrecht et Connor, 2001). Les vérités déterminantes de ce discours définissent la santé et la maladie selon les critères du professionnel de la santé, le seul expert légitime en la matière.

> Ça fait que c'est dans le bon chemin [en parlant de sa santé]. Bien oui, parce que si tu ne vas jamais chez le médecin, tu ne sauras jamais s'il y a quelque chose de pas correct avec toi. Non, moi je trouve que c'est très important (Participante 4).

Dans cet exemple, c'est effectivement le médecin qui détermine le niveau de santé de la patiente. Il est logique de penser que la pratique et l'attitude des patients en matière de soins soient différentes selon le discours qui les gouverne et la définition de la santé qu'ils adoptent.

Le déterminisme médical : rôle du professionnel = paternalisme médical

Certains auteurs nomment « paternalisme médical » l'attitude du patient qui désigne le professionnel de la santé comme l'unique responsable de la santé des participants (Higginbotham, Albrecht et Connor, 2001 ; Lupton, 1995, 2003). La dernière citation de la participante 4 est un bon exemple de la relation patient-professionnel de la santé reproduite dans ce discours. Lorsque ce discours dirige la

pratique normale de la patiente, il est permis de penser que les préférences personnelles de cette dernière, telles la langue de traitement ou
sa participation à la prise de décisions, soient d'une importance moindre dans l'établissement de sa satisfaction. Cette croyance décourage
aussi la remise en question du service de santé. « Comme je te dis, il
ne faut pas trop "chialer", je suis très satisfaite » (Participante 4).

Le déterminisme médical : soins de qualité = qualités techniques des soins

Ceux qui considèrent les services de santé comme le principal levier
pour maintenir la santé ont tous indiqué que l'accès facile et le temps
d'attente sont cruciaux pour obtenir un service de santé de qualité.

> Si l'on n'attend pas des heures et des heures pour être vu. Puis que
> l'on n'attende pas. Si tu es malade, tout de suite tu as le service.
> C'est ça, un bon médecin pour commencer. Puis après ça, quand
> il nous réfère chez le spécialiste que l'on n'attende pas des mois
> puis des mois avant d'avoir un rendez-vous (Participante 7).

En concordance avec les vérités du « déterminisme médical », des participants soulignent que la compétence du professionnel et l'exécution
diligente et appropriée des soins prescrits assurent la qualité des soins.
Par exemple, le participant 1 ne voudrait pas changer de médecin,
même si celui qui le soigne est anglophone. En effet, il explique : « Je
ne prends pas un médecin parce qu'il parle français. » Et il renchérit :
« Qualifiés, compétents, c'est ça qui est important. » Selon les énoncés
retrouvés dans ce discours, être traité dans sa langue n'est pas un critère
de qualité des soins. Les patients qui énoncent le discours du déterminisme médical n'expriment effectivement pas la volonté de solliciter
des services de santé en français, puisque l'accès aux meilleurs professionnels et aux meilleures installations prime, quelle que soit la langue
du service. Par ailleurs, les personnes s'étant exprimées selon les vérités
du déterminisme médical ont inscrit des résultats décrivant une satisfaction générale supérieure dans la MESS. Elles jugeaient moins
importants les critères de l'outil relatifs au contact humain avec le
professionnel de la santé et évaluaient comme plus importants ceux
qui décrivaient les qualités techniques du professionnel. Une satisfaction plus grande était à prévoir dans la MESS puisque, dans ce cas, il
n'est pas approprié de remettre en question le professionnel de la santé.

La promotion de la santé

L'approche qui mise sur la promotion de la santé, présente notamment dans le rapport Lalonde (Health and Welfare Canada, 1974), s'éloigne du modèle biomédical et considère davantage la dimension socio-environnementale de la santé. Ce discours signale que d'autres déterminants comme les habitudes sanitaires et le style de vie ont un impact significatif sur la santé des Canadiens, bien qu'il attribue aussi un rôle aux capacités du système de santé pour améliorer la santé publique. Peu à peu, le virage vers l'éducation et la promotion de la santé accorde à l'individu le pouvoir sur sa santé, mais lui confère aussi la responsabilité de gérer le risque de la maladie (Petersen et Bunton, 1997). L'individu est donc incité à adopter les pratiques et les comportements de prévention et de maintien d'un style de vie sain (Lupton, 1995).

La promotion de la santé : définition fonctionnelle de la santé

La majorité des participants affirme que le niveau de santé ou de maladie d'une personne correspond à son niveau d'autonomie dans les activités de la vie quotidienne et à sa capacité fonctionnelle au domicile, au travail et dans les loisirs.

> Si tu n'as pas ta santé, tu n'as rien, tu es aux crochets des autres, tu as besoin. C'est un besoin réel de quelqu'un pour avoir soin [de toi]. [...] C'est ça qui est très difficile. Quand tu es malade, et tu ne peux pas faire les choses comme d'habitude... Comme moi, ici, j'adore, la lecture, mais à cause de mes mains et de mes bras, j'ai de la difficulté à tenir un livre, et ma vue est affectée par la fibro... Oui, la santé, c'est ça. C'est la liberté de vivre ta vie (Participante 3).

Cette dispersion de la gestion du risque de la maladie dans le tissu social introduit la santé et la maladie dans la vie, la famille et même la communauté des personnes recevant les services. Selon Petersen et Bunton (1997), la fonction occupationnelle, sociale et familiale tiendrait aujourd'hui une place plus importante dans la définition de la santé et d'un service de santé de qualité, par rapport au rôle que doit remplir l'État. Ainsi, pour les participants, être « malade » n'est pas un état d'être défini par le professionnel de la santé, mais bien une qualité de vie qui se vit chaque jour par le patient.

La promotion de la santé : la responsabilité individuelle de la santé

Les acteurs reproduisant le discours sur la promotion de la santé déclarent que ce sont les comportements individuels, comme les habitudes sanitaires et leurs liens avec la communauté qui sont les principaux déterminants de la santé des individus (Gastaldo, 1997). Selon les participants qui énoncent ce discours, le facteur le plus important pour maintenir une bonne santé est de voir à préserver les bonnes habitudes, un niveau d'activité physique adéquat et à résoudre ses problèmes soi-même ou avec l'aide de sa famille. Par exemple, en réponse à la question « Qu'est-ce qui est important pour votre santé ? », ces témoignages illustrent bien ce que plusieurs ont exprimé :

> Toute notre vie, il a fallu voir à ce qu'on faisait. Ce n'est pas une affaire qui est faite du jour au lendemain. C'est quelque chose qui est fait à la longue. Et ma mère a bien pris soin de nous autres quand on était jeunes pour qu'on aille des os forts. De beaucoup de façons. Avec des légumes, avec n'importe quoi, tout ce qu'on avait besoin. Elle était bonne pour ça et puis ça nous a aidés. Ça été fantastique. Bien manger, bien dormir, bien s'amuser, faire de l'exercice, je pense que c'est à peu près ça (Participante 8).

Une autre personne confirme :

> Pour t'aider mais avant tout c'est une responsabilité personnelle la santé. C'est toi qui dois faire assez de culture physique, ne pas toujours être assis continuellement à regarder la télévision. Savoir ta diète, manger de façon équilibrée : assez de légumes et pas trop de viande. Le poisson et les légumes. Balancer, avoir une diète c'est très important (Participante 9).

Cependant, aucun participant n'a exprimé un lien entre son appartenance francophone et le développement communautaire lors des discussions sur l'importance d'offrir des soins en français. Certaines vérités du discours sur la promotion de la santé sont très fortement reproduites par les francophones, mais celles qui associent leur santé et la minorisation ou la vitalité de leur communauté n'émergent pas de leurs propos, comparativement aux discours qui émergent des documents des organismes francophones sur la santé (Gilbert *et al.*, 2005). Que les propos des participants se soient spontanément limités à une discussion de leur santé individuelle peut être le résultat du fait qu'ils ont été recrutés pour participer à l'étude en tant que patients recevant des soins à domicile, donc des individus souffrant de problèmes de santé. L'état de santé du participant, entraînant des incapacités physiques, des souffrances physiques et psychologiques et même des handicaps, constitue une condition matérielle cruciale pour comprendre que des questions sur la santé, même posées sur « la santé en général », susciteront des réponses portant sur les expériences et les soucis des participants pour leur propre bien-être.

La promotion de la santé : l'expert en santé = un conseiller

Selon les vérités énoncées dans ce discours, le rôle de « l'expert en santé » consiste donc à informer et à éduquer les gens sur les moyens à adopter pour maintenir leur santé, puisque l'on vise à les habiliter, à les outiller et à leur octroyer le pouvoir de gérer leur santé. Les professionnels de la réadaptation et les médecins, par exemple, remplissent davantage un rôle d'éducateur ou de consultant, alors que le patient s'approprie la responsabilité de gérer le risque de la maladie. « Pour moi ce qui est important, c'est que je sache exactement ce qu'il fallait que je fasse. Moi, tu me dis une fois ce qu'il faut que je fasse et je le fais » (Participante 3). Le participant 11 s'exprime aussi en faveur d'une collaboration avec le professionnel de la santé :

> Il [le physiothérapeute] était bien gentil. Moi j'étais confortable avec. Et je pense que c'est très important d'être confortable avec parce qu'il n'y a pas juste lui qui travaille, moi aussi je travaille.

Il est logique de penser que les patients seront plus reconnaissants envers le travail de leur professionnel de la santé en raison des qualités qui se manifestent chez un bon communicateur.

> Il faut qu'elle prenne d'abord son temps avec une autre personne. Qu'elle ait beaucoup de compassion, pour commencer avec l'autre personne, et puis qu'elle puisse communiquer avec elle quand elle peut rendre ses soins (Participante 8).

Les moyens pour maintenir la santé ne relèvent plus du domaine médical, mais privilégient plutôt l'expérience individuelle. La circulation des vérités sur la responsabilité individuelle module ainsi les pratiques en rapport à la santé de l'individu dans son quotidien et la nature de la relation thérapeutique. Les participants définissent un service de santé de qualité selon des critères relevant des qualités humaines des professionnels de la santé.

> Bien, pour moi, je pense que c'est le contact humain qui passe avant quoi que ce soit, c'est très important cela. Ce sont des gens sympathiques. Ils étaient consciencieux. [...] Pour moi, c'est ça, la chaleur humaine. Quand on ne se sent pas bien, c'est ça qui est le plus important. Si tu es doux avec moi, si tu es sympathique, si tu veux m'écouter dans mon moral, je trouve que c'est numéro un (Participant 2).

Les résultats obtenus à l'aide de la MESS convergent, car une plus grande proportion de participants a estimé que les services infirmiers et les professionnels de la santé représentent les aspects les plus importants des services de réadaptation à domicile. Ce sont donc généralement les dimensions humaines qui obtiennent les plus hautes notes d'importance.

Pour cette raison, il peut sembler important d'être traité dans sa langue. En effet, il est logique de penser que la communication est l'aspect le plus important pour un transfert de qualité entre le patient et le professionnel. La relation de confiance s'installerait ainsi plus facilement. Cependant, les participants mentionnent, de façon générale, que recevoir les services de santé en français est davantage une marque de respect et de bonne volonté, qualités essentielles à une bonne communication, qu'un déterminant direct de leur santé ou de la qualité des services.

> L'infirmière me parle seulement en anglais, mais ça ne me dérange pas parce que, si elle était capable, elle le ferait, parce que, souvent [elle dit] : « Bien ou » ; ensuite elle va dire : « Ben non ». Et elle a commencé une couple de mots, elle fait un effort. Elle écoute et elle le ferait si elle le pouvait. Je ne me sens pas mal à l'aise à parler en anglais, j'ai deux gendres anglais (Participante 3).

Tous les participants comprenaient l'anglais, à des degrés divers. Malgré la maîtrise de cette langue seconde chez certains, plusieurs participants croyaient qu'il est plus difficile d'expliquer toutes les nuances au professionnel de la santé lorsque la consultation s'effectue en anglais. Selon ces personnes, pour une communication optimale avec le professionnel de la santé, il faut pouvoir exprimer ses sensations dans le moindre détail.

> Ça va beaucoup mieux expliquer ce que tu ressens au point de vue de la douleur et au point de vue aussi dans ta tête. Pas nécessairement de la douleur physique, ce que tu ressens mentalement. Je trouve que ça s'explique beaucoup mieux en français. Mais on n'a jamais appris à avoir mal en anglais (Participant 11).

Pour les personnes qui tiennent ce discours, un traitement en français sert à l'établissement d'une bonne relation de confiance et de respect avec le professionnel de la santé.

> Je considère important le contact humain, car tu veux une relation où t'es confortable avec ton médecin ou ton physio. Donc, c'est pour ça que tu veux qu'il te parle dans la langue où t'es la plus confortable (Participant 12).

Même si le patient communique bien en anglais, il souligne que, pour des raisons principalement culturelles, la communication et le contact interpersonnels s'effectuent plus facilement avec un francophone, ce qui améliore le traitement :

> Sais-tu c'est parce que j'aimerais bien avoir une francophone, il me semble qu'on se fait ami plus vite. [...] Oui, à cause de la langue, mais je trouve aussi que l'on se comprend plus vite quand on est de la même nationalité (Participante 8).

Le participant 2 s'exprime de façon similaire :

> Investigateur : Et vous, les neurologues que vous voyez sont anglophones, est-ce que [la langue de service] a été importante pour vous ?
>
> Participant 2 : J'ai eu les deux médecins, j'ai commencé avec docteur Untel, et j'ai changé à docteur Unautre. Là je retourne à

> Untel. Alors juste ça, ça devrait répondre à ta question. Je n'ai pas
> fait de contact vraiment avec l'un ou l'autre. Le problème, c'est
> que je les trouve trop froids. Untel est trop réservé, je trouve. Je
> pense qu'ils ne parlent à personne eux autres. [...] [C]e n'est pas
> la même chose en français ou en anglais. En général, les franco-
> phones c'est plus chaleureux que les anglophones.

Selon quelques participants, cette nuance prend d'autant plus d'importance quand les services de santé sont offerts à la maison du patient.

> Mais, moi aussi, j'aime beaucoup mieux m'exprimer dans ma
> propre langue. Et puis on peut avoir des gens qui sont de notre
> monde enfin, de notre culture, c'est tout à fait naturel. [...] Dans
> ces cas, c'est notre *home*; ce n'est pas en dehors de la maison. La
> maison, c'est une maison francophone (Participante 9).

Cette citation est un bon exemple de l'aspect plus personnel qui caractérise les services de réadaptation à domicile en comparaison aux traitements offerts en milieu hospitalier. Plus que tout endroit où il y a des
francophones, la maison représente habituellement un lieu intime
d'expression et de conservation de l'identité. Jan Angus et ses collaborateurs soutiennent que le contexte de soins à domicile produit une
transposition des logiques et des pratiques lorsque les espaces domes-
tiques et de soins de santé sont superposés dans la maison du patient.
Le thérapeute entre physiquement dans l'espace d'intimité du patient,
qui a l'habitude de régir son environnement (Angus *et al.*, 2005). La
relation de confiance et la perception du respect mutuel y sont capitales pour établir un lien thérapeutique favorable puisque le patient
accueille le professionnel dans sa maison. On peut donc penser que la
question de la langue de service est d'autant plus importante pour les
services de réadaptation à domicile. Pour la plupart, la langue aiderait
à l'établissement de ce lien thérapeutique favorable, mais n'en est pas
une condition nécessaire. Néanmoins, huit participants disent demander les services en français.

Le discours sur la promotion de la santé propose donc une série de
conditions sur les services de santé et sur la santé qui facilitent la
requête et la revendication de ces services en français. En effet, les résultats de la MESS montrent que les participants formulant les énoncés
sur la promotion de la santé ont accordé plus de points à la dimension
de la langue que les patients qui adoptent les prémisses du
déterminisme médical. Toutefois, seuls quelques participants déclarent

revendiquer leur droit à des services de santé en français auprès des prestataires de soins, c'est-à-dire que peu d'entre eux demandent d'être servis en français quand des services en anglais leur sont offerts en premier. L'accès difficile aux services de santé, le désir d'avoir des soins rapidement pour gérer les problèmes de santé qui les font souffrir et la facilité à s'exprimer en anglais sont des facteurs qui entravent la demande ou la revendication de services en français.

Le consommateurisme

À la suite de la restructuration des services de santé en 1996, la privatisation des services à domicile a favorisé la diffusion du discours de « consommateur » dans l'évaluation des services de santé par les prestataires et les bénéficiaires. Ainsi, comme le proposent Alan Petersen et Robin Bunton (1997), la logique du modèle de gestion de la concurrence produit un « client » doté de la capacité de gérer ses propres risques et dont la responsabilité d'être en santé lui est imputée.

Le consommateurisme : le client, libre de ses choix

Effectivement, les vérités issues de ce discours se retrouvent dans les témoignages des participants. La première est que le « client » est libre de choisir les services de santé qui lui conviennent le mieux ou les professionnels qui lui plaisent davantage (Shaw et Aldridge, 2003).

> Et puis finalement, j'ai changé de médecin. J'avais de la misère à avoir mes médicaments. Et puis, là, j'en ai un autre qui me les donne. [...] J'ai dit, je ne veux pas me faire dire quel docteur que je vais voir malgré que je suis âgée, comprends-tu! J'étais un peu choquée de cette affaire. J'ai dit : « Je n'aime pas ça. » J'ai dit : « Je veux choisir mon docteur » (Participante 8).

D'ailleurs, le « consommateur » est plus enclin que le « patient » à s'informer sur sa maladie et sur les traitements avant la consultation, à remettre en question les conseils du professionnel de la santé ou même à résister à la dominance du système de santé en s'opposant aux recommandations qui lui ont été indiquées (Lupton, 2003 ; Shaw et Aldridge, 2003). Ce n'est pas tout à fait le cas des participants à l'étude, mais il est clair que ceux-ci résistent à l'idée de ne pouvoir être informés des possibilités et de ne pouvoir participer à la prise de décision. Par exemple, la participante 3 déplorait les directives de son ergothérapeute, qui ne lui expliquait pas les modèles possibles et les frais variables quant à l'achat d'une marchette :

> Ce n'est pas rassurant, elle [l'ergothérapeute] n'a jamais dit... Ma physiothérapeute, elle, m'a même dit : « Vous allez avoir besoin d'une marchette. Alors, on peut faire une demande au gouvernement pour subventionner. » Elle m'a offert des alternatives du moins. Mais l'autre, [l'ergothérapeute], non, non. « C'est tant par mois, et c'est ça que ça va coûter, et à partir du 9 janvier. »

Le participant 1 parle de son expérience dans l'achat du même type d'équipement, de la même façon :

> Quand j'ai acheté ma marchette, j'ai acheté celle qu'ils m'ont offerte. Je pense que j'aurais dû dire que je voulais une différente marchette. Si, aujourd'hui, j'en achetais une autre, s'il arrivait un problème, je pense que je ne prendrais pas la marchette que j'ai. Il y en a une allemande, qui est meilleure, et qui me donnerait un meilleur rendement.

Le consommateurisme : le client activiste

Selon Ian Shaw et Alan Aldridge (2003), le discours du consommateur propose aussi que le client possède un pouvoir d'activiste, c'est-à-dire qu'il peut prendre des décisions par rapport à sa santé selon ses valeurs et ses croyances personnelles, excédant largement les critères relatifs au domaine médical. Dans le cas d'un client franco-ontarien qui reçoit des services de santé, il a donc la possibilité de choisir le service qui lui convient le mieux, selon sa langue et sa culture. Ainsi, il est logique de penser que les discours produits par les chefs de file francophones à propos des services en français, plus particulièrement en ce qui concerne les services de santé, soient liés à l'évaluation des services de santé reçus par le « client » francophone en Ontario. Les valeurs personnelles du francophone prédominent dans l'évaluation des traitements reçus. D'ailleurs, les résultats de la MESS révèlent que les participants s'exprimant selon le discours du consommateurisme considèrent la langue de traitement comme l'une des dimensions les plus importantes dans l'évaluation des soins reçus en réadaptation à domicile comparativement à l'ensemble des participants.

En résumé, trois discours sur la santé et les services de santé interviennent dans les pratiques des patients francophones de l'Est de l'Ontario. Les vérités provenant des discours sur la santé orientent les patients dans leur évaluation des soins et s'ajoutent à celles des discours reproduits par les porte-drapeaux des communautés francophones sur la question des soins de santé en français et du lien entre les services de santé et la vitalité de la communauté francophone.

Les discours sur la francophonie des francophones traités en réadaptation à domicile

L'analyse discursive permet de comprendre les pratiques et les vérités associées à ce que veut dire être « francophone » et leur lien avec les discours qui établissent les critères d'évaluation des soins de santé. Par exemple, un « vrai » Franco-Ontarien se présentera fièrement en tant que francophone et demandera un service de santé en français. Cependant, les francophones de l'Ontario sont soumis à divers degrés aux discours sur la francophonie et n'agissent pas tous de la même façon face aux vérités qui circulent dans la communauté franco-ontarienne, telle que l'importance de s'afficher comme francophone et d'exiger un service en français. En outre, certains utilisateurs des services de santé considèrent plus important de recevoir les soins le plus rapidement possible, peu importe la langue de service (Fédération des communautés francophones et acadienne du Canada, 2001). D'autres, par contre, croient que la langue de traitement est déterminante pour un service de qualité. Deux types de discours qui tendent à assurer la vitalité de la francophonie émergent dans les propos des participants et influencent, à divers degrés, leurs préférences linguistiques en matière de soins : les discours sur le droit aux services en français et ceux sur l'accès aux services en français.

Le droit aux services de santé en français

La nature universelle du système de santé est une valeur importante pour les francophones (Adam, 2000 ; Canada. Ministère de la Justice, 1986) et le discours sur le droit aux services de santé représente le premier jalon de la production discursive des francophones en matière de santé (Gilbert *et al.*, 2005). Dans l'optique du discours étatique du droit aux services de santé, les francophones considèrent que l'utilisation et l'accès aux services de santé sont associés à la santé de l'individu. De plus, la *Loi canadienne sur la santé*, la *Loi canadienne sur les langues officielles*, la *Loi sur les services en français de l'Ontario*, le rapport Dubois (1976) et la crise Montfort ont tous contribué à répandre le discours énonçant que les services en français constituent un droit pour les francophones de l'Ontario, notamment dans le domaine de la santé (Gilbert *et al.*, 2005). Par ailleurs, le principe d'universalité des soins de santé défendu au Canada et en Ontario facilite le rapprochement entre le discours du droit aux services en français et celui du droit aux services de santé.

Interrogés sur l'importance des droits linguistiques en matière de soins de santé, tous les participants ont reproduit le discours sur le droit des francophones d'obtenir des services en français. Cependant, la participante 7, comme d'autres personnes adhérant à ce discours, considère que le droit à des services en français est souhaitable pour « ceux qui le préfèrent », en s'excluant elle-même de ce groupe : « Mais quand même, il y en a qui préfère ça et ils ont le droit. Ils ont le droit d'avoir ça. » Les participants qui se sont exprimés ainsi lors des entretiens parlaient l'anglais et s'accommodaient des soins reçus en anglais. L'accord du verbe à la troisième personne du pluriel dans cette citation illustre bien le problème que rencontrent les communautés francophones dans leurs démarches pour améliorer la demande des services de santé en français en Ontario.

Les francophones qui ont participé à l'étude se sont exprimés en concordance avec le triple ancrage des conclusions du rapport Dubois (1976) pour légitimer l'importance de ce droit : l'ancrage juridique, l'ancrage linguistique et l'ancrage identitaire. L'ancrage qui porte sur le régime des droits linguistiques, notamment la *Loi sur les langues officielles*, a, sans surprise, émergé lors des entrevues. « Nos droits sont là et sont établis dans la Constitution aussi » (Participant 2). Un autre participant expose des arguments semblables :

> Je suis tout à fait d'accord, on est dans un pays bilingue, donc on a droit à un service en français. [...] On est dans un pays bilingue et puis si on est plus confortable en français, on devrait avoir le droit de se faire servir en français tout simplement. Ça revient à une question de choix personnel, puis on nous offre le choix, donc je trouve que c'est bien (Participant 12).

L'ancrage linguistique, pour sa part, se rattache plutôt à une question de communication efficace entre le francophone et le professionnel de la santé. Or, pour justifier l'importance de la langue dans le bon déroulement des traitements, le rapport Dubois relève des articles scientifiques montrant l'importance de la qualité du rapport entre le professionnel de la santé et les patients (Gilbert *et al.*, 2005). En effet, les participants à l'étude reprennent vivement cette vérité dans leurs témoignages.

> Malgré que je sois Franco-Ontarien et que mon anglais est aussi bon que mon français, j'aime parler dans ma langue. Quand tu es malade, tu n'aimes pas chercher tes mots. [...] Puis il te demande : « Comment ça va ? » Comment tu te sens, c'est précis ça ! Les réponses, il me semble que ce n'est pas la même chose en anglais. En tout cas, c'est un peu ça avec les services que j'ai eus. Et comme j'ai dit, avec l'ergo, on s'est perdu quelque part, on ne s'est pas compris (Participant 2).

> Tu n'es pas capable, moi je ne suis pas capable de le dire en anglais. Mais il y a des fois où ça ne traduit pas exactement ce que tu as (Participante 5).

D'autres participants ajoutent que la qualité de la relation avec l'intervenant en santé est aussi importante.

> C'est ça, c'est une question de compréhension, d'être à l'aise. Surtout dans les domaines de la santé, pour s'exprimer il faut que tu sois à l'aise avec le médecin, avec les gens autour de toi. C'est très important (Participante 9).

La notion des relations humaines dans les traitements relève surtout du discours sur la promotion de la santé, repris par la majorité des participants. En conséquence, une majorité de francophones interrogés soulignent que de communiquer avec une personne de la même culture permet de construire une relation plus humaine et plus chaleureuse dans la relation de soin et même, selon une participante, de faciliter l'établissement d'un lien d'amitié.

En soulignant l'importance du français dans les services de santé, le participant 2 illustre l'ancrage identitaire du discours sur le droit aux services de santé en français et raconte un événement historique sur les luttes dans le système d'éducation franco-ontarien :

> Je me souviens des histoires sur les droits dans les écoles, et des
> bonnes femmes de la Basse-Ville qui sont allées au conseil scolaire
> avec des épingles à chapeaux, pour qu'ils gardent les écoles fran-
> çaises ouvertes. C'est tout dans notre folklore de la région, cela.
> [...] Mais on a des écoles françaises garanties maintenant. [...] Je
> pense que l'on a fait du chemin, mais on a encore du chemin à
> faire au niveau des droits, parce que nous autres mêmes on ne les
> exige pas.

L'ancrage identitaire constitue l'intersection entre le discours du consommateurisme et celui sur le droit aux services en français, puisque les participants associent la qualité des services de santé à leur propre identité et à leurs propres valeurs.

L'accès aux services de santé en français

Avec la publication du rapport Dubois, l'essentiel des revendications franco-ontariennes porte sur l'accès aux soins en français. Ce discours demeure omniprésent dans les témoignages des participants. « Ah ça nous importe certainement ! Pour moi quant à vivre ici, je veux dire, on aimerait avoir le plus de services possible » (Participante 9). Le participant 2 exprime lui aussi cette préoccupation : « Je déplorais que les francophones... Je suis obligé d'aller à Montréal si je veux avoir un médecin en français. »

La problématique de l'accès renvoie, d'une part, à l'offre de soins en français et, d'autre part, à la demande de services en français (Dubois, 1976 ; Fédération des communautés francophones et aca-dienne du Canada, 2001). Seuls les participants francophones ayant de la difficulté à s'exprimer en anglais affirment que l'offre de services est primordiale pour améliorer l'accès aux services de santé et qu'ils ne devraient pas avoir à quémander des soins dans leur langue. D'autres croient, pour leur part, que pour améliorer l'accès aux services en fran-çais les utilisateurs doivent faire la demande de services en français.

> Mais en général, je vais faire la demande de ce dont j'ai besoin,
> de ce que je veux, je vais le faire en français. Bien, d'abord si tu
> veux être considéré puis, si tu veux les conserver tes droits, il faut
> que tu les utilises (Participante 5).

> Mais aussitôt qu'ils nous disent qu'on peut se faire répondre en
> français, je le demande. Autrement, si on ne le demande pas, ils

vont les enlever ces services. Alors, c'est une façon de les avoir (Participante 9).

Ainsi, le droit à des services de santé en français ne semble pas, selon eux, garantir l'offre automatique de soins en français, mais exige que l'utilisateur en fasse la demande.

L'espace discursif du patient francophone traité à domicile en Ontario

Même s'ils énoncent tous le « droit » de se faire servir en français, certains participants considèrent que d'autres critères priment dans l'évaluation des soins reçus. L'état de santé du participant, entraînant des incapacités physiques, des souffrances et même des handicaps, constitue une condition cruciale pour comprendre leur façon d'évaluer les soins et leurs priorités. Quoique ces personnes considèrent que les services en français sont importants pour le bien-être collectif de la communauté franco-ontarienne, qu'elles appuient les revendications pour des services en français, leur état physique immédiat demeure, pour elles, prioritaire. Lorsqu'il est question de *leur* santé, les conditions posées par la maladie font en sorte que les enjeux reliés à l'appartenance francophone sont relégués au second plan. En plus de leur inconfort et de leur incapacité, l'attente souvent nécessaire avant de recevoir les services en français, lorsqu'ils sont disponibles, est une deuxième condition matérielle significative qui incite le francophone à accepter les services en anglais.

Malgré le rôle des conditions matérielles dans l'évaluation des soins de santé, le contexte discursif joue aussi sur le lien qu'établissent ou non les francophones entre la qualité des soins et la langue de service. Le discours sur la santé que privilégie un patient, orientant son jugement à l'égard des soins, se modèle sur le lien qu'il établit entre sa francité et les soins de santé. Le premier, largement répandu, considère que la santé et l'accès aux services de santé sont des droits et que l'État a la responsabilité de se préoccuper de la santé de tous ses membres. Tous les participants de l'étude s'expriment en faveur du système universel de santé géré par l'État pour améliorer ou maintenir la santé des Canadiens et arriment aussi le droit d'être servi en français à ce régime juridique. Les participants se divisent ensuite en deux groupes. Le premier groupe, qui n'inclut que cinq personnes, adopte les vérités du déterminisme médical. Les participants du deuxième groupe évoquent le discours sur la promotion de la santé et cherchent à garder la maîtrise de leur santé ; ils adoptent de saines habitudes de vie, enseignées par le professionnel de la santé, afin de maintenir ou d'améliorer leurs capacités fonctionnelles et leur situation sociale. Les francophones qui tiennent à participer aux décisions relatives à leur traitement seront plus enclins à demander des soins en français que ceux qui présument que le professionnel de la santé est l'expert qui détermine leur état de santé et qui leur prescrit le traitement approprié. Le discours sur le consommateurisme s'agence surtout aux propos des participants qui reproduisent le discours sur la promotion de la santé en encourageant la prise en charge de sa santé et en favorisant la demande de soins en français. Il vient donc compliquer le paysage discursif. Alors que ses vérités servent de compléments à celles du discours sur la promotion de la santé, son émergence dans les propos d'un participant qui énonce le discours sur le déterminisme médical mène à des contradictions entre un patient qui se soumet aux directives des professionnels de la santé et un patient qui, au contraire, exige des choix. Cette apparente incohérence entre les énoncés que reproduisent certains participants n'est pas inhabituelle et illustre plutôt l'instabilité discursive possible quand les individus reprennent des énoncés de différents discours qui circulent simultanément, comme les participants qui énoncent à la fois des vérités du déterminisme médical et de la promotion de la santé (Participants 1, 4, 5 et 7). En d'autres mots, des individus peuvent mettre de l'avant des affirmations antagoniques alors que d'autres tiennent un discours plus réfléchi et stratégique ou, du moins, plus cohérent.

Conclusion

L'étude examinait les discours des francophones de l'Est de l'Ontario ayant reçu des services de réadaptation à domicile. Bien que les entrevues aient suscité l'opinion des participants sur la santé et les soins en général, les résultats ne peuvent être généralisés à tous les types de services de santé. D'une part, les soins en réadaptation à domicile favorisent la participation des patients dans leurs traitements, ce qui peut influencer leur choix de critères pour juger de la qualité des soins. D'autre part, les soins prodigués à domicile se déroulent dans un lieu intime ; le patient est alors « chez lui » et dans une position d'autorité relative par rapport au professionnel de la santé, comparativement aux services offerts dans un établissement de santé. Par ailleurs, le domicile est un lieu d'expression et de conservation de l'identité. Cette incursion dans le lieu domestique pourrait alors permettre au patient de valoriser son identité francophone et/ou la langue française lors des traitements. Malgré ce contexte intime qui semble favorable à la revendication de soins de santé en français, l'importance de la langue d'intervention dans les soins de réadaptation varie d'un patient à l'autre. Notre analyse montre que cette variation est manifestement tributaire du discours sur la santé qu'adopte le francophone, ce qui l'amène ou non à valoriser la langue des soins dans l'évaluation d'un service de santé de qualité.

NOTE

1. Les citations provenant des transcriptions d'entrevues ont été modifiées, au besoin, selon les conventions de la communication écrite. Deux types de changements ont été effectués pour transposer le langage vernaculaire des conversations en texte. Les phrases ont d'abord été « nettoyées » par l'élimination des expressions superflues comme « tu sais », « -là » (par exemple, « affaires-là ») et « autres » (par exemple, « nous autres »). De plus, les mots tels que « ben » et « pis » de même que les locutions telles que « j'pense » ont été remplacés par « bien », « et » ainsi que « je pense ». Ensuite, les phrases ont été corrigées selon les règles grammaticales, essentiellement pour l'accord des verbes et l'ajout du « ne », puisque dans la langue orale, la négation est souvent réduite à « pas ». Transformer les paroles en texte écrit vise à éviter que le lecteur ne soit distrait par la forme vernaculaire, et ainsi à l'aider à mieux saisir le sens des propos. Il s'agit donc de rester fidèle à l'esprit et au sens des propos recueillis plutôt qu'à la lettre de la transcription des entretiens.

BIBLIOGRAPHIE

ADAM, Dyane (2000). *Langue et santé: deux aspects du même engagement*, allocution prononcée devant l'Assemblée générale annuelle du Réseau des services de santé en français de l'Est de l'Ontario, Ottawa, Commissariat aux langues officielles du Canada.

ANGUS, Jan, *et al.* (2005). « The Personal Significance of Home: Habitus and the Experience of Receiving Long-Term Home Care », *Sociology of Health and Illness*, vol. 27, n° 2 (mars), p. 161-187.

ARMSTRONG, David (1994). « Bodies of Knowledge: Foucault and the Problem of Human Anatomy », dans Graham Scambler (dir.), *Sociological Theory and Medical Sociology*, London, Tavistock, p. 59-76.

CANADA. MINISTÈRE DE LA JUSTICE (1986). *Loi canadienne sur la santé*, L.R.U.S.C. ch. C-6.

CHING-CHOW, Yang (2003). « The Establishment of a TQM System for the Health Care Industry », *The TQM Magazine*, vol. 15, n° 2, p. 93-98.

DUBOIS, Jacques (1976). *« Pas de problème »* : rapport du comité d'action sur les services de santé en français, Toronto, Ministère de la santé de l'Ontario.

FÉDÉRATION DES COMMUNAUTÉS FRANCOPHONES ET ACADIENNE DU CANADA (2001). *Pour un meilleur accès à des services de santé en français*, Ottawa, La Fédération, [En ligne], [http://www.fcfa.ca/documents/82.pdf].

FOUCAULT, Michel (1983). *Naissance de la clinique: une archéologie du regard médical*, Paris, Presses universitaires de France.

FOUCAULT, Michel (1984). *Histoire de la sexualité*, Paris, Gallimard.

GASTALDO, Denise (1997). « Is Health Education Good for You? Re-Thinking Health Education Through the Concept of Bio-Power », dans Robin Bunton et Alan Petersen (dir.), *Foucault, Health and Medicine*, Londres, Routledge, p. 113-133.

GERON, Scott Miyake, *et al.* (2000). « The Home Care Satisfaction Measure: A Client-Centered Approach to Assessing the Satisfaction of Frail Older Adults with Home Care Services », *Journal of Gerontology: Social Science*, vol. 55B, n° 5, p. S259-S270.

GILBERT, Anne, *et al.* (2005). « Les discours sur la santé des organismes franco-ontariens: du rapport Dubois à la cause Montfort », *Reflets: revue d'intervention sociale et communautaire*, vol. 11, n° 1, p. 20-48.

HAYDAY, Matthew (2002). « "Pas de problème": The Development of French-Language Health Services in Ontario », *Ontario History*, vol. 94, n° 2 (automne) p. 183-200.

HEALTH AND WELFARE CANADA (1974). *A New Perspective on the Health of Canadians*, Ottawa, Gouvernement de Canada.

HERMAN, Sixma, Peter SPREEUWENBERG et Marja VAN DER PASCH (1998). « Patient Satisfaction with the General Practitioner: A Two-Level Analysis », *Medical Care*, vol. 36, n° 2 (février), p. 212-229.

HIGGINBOTHAM, Nick, Glenn ALBRECHT et Linda CONNOR (2001). *Health Social Science: A Transdiciplinary and Complexity Perspective*, South Melbourne, Oxford University Press.

INSTITUT CANADIEN D'INFORMATION SUR LA SANTÉ (ICIS) (2007). *Comment se portent les Canadiens en milieu rural?*, Ottawa, Agence de santé publique du Canada.

ILO, UNESCO ET WHO (1994). *Community-Based Rehabilitation for and with People with Disabilities: Joint Position Paper*, Genève, WHO, ILO, UNESCO.

LUPTON, Deborah (1995). *The Imperative of Health*, Londres, Sage Publications.

LUPTON, Deborah (2003). *Medicine as Culture*, 2ᵉ éd., Londres, Sage Publications.

OSBORNE, Thomas (1997). « Of Health and Statecraft », dans Robin Bunton et Alan Petersen (dir.), *Foucault, Health and Medicine*, Londres, Routledge, p. 173-188.

PATTON, Paul (1992). « Le sujet de pouvoir chez Foucault », *Sociologie et sociétés*, trad. Suzanne Mineau, vol. 24, n° 1 (printemps), p. 91-102.

PETERSEN, Alan, et Robin BUNTON (dir.) (1997). *Foucault, Health and Medicine*, Londres, Routledge.

PORTER, Eileen Jones (2004). « Older Persons' Expectations and Satisfaction with Home Care: Theoretical Origins and Uncharted Realms », *Research in the Sociology of Health Care*, vol. 22, p. 101-119.

RENZI, Cristina, *et al.* (2005). « Effects of Patient Satisfaction with Care on Health-Related Quality of Life: A Prospective Study », *Journal of the European Academy of Dermatology and Venereology*, vol. 19, n° 6 (novembre), p. 712-718.

ROBERTSON, Ann (1998). « Shifting Discourses on Health in Canada: From Health Promotion to Population Health », *Health Promotion International*, vol. 13, n° 2, p. 155-166.

RYDEN, Muriel, *et al.* (2000). « Development of a Measure of Resident Satisfaction with the Nursing Home », *Research in Nursing and Health*, vol. 23, n° 3 (juin), p. 237-245.

SHAW, Ian, et Alan ALDRIDGE (2003). « Consumerism, Health and Social Order », *Social Policy and Society*, vol. 2, n° 1 (janvier), p. 35-43.

TARDIF, Charles (2009). *La satisfaction des patients francophones traités en réadaptation à domicile dans l'Est de l'Ontario*, thèse de maîtrise, Université d'Ottawa.

TURRIS, Sheila (2005). « Unpacking the Concept of Patient Satisfaction: A Feminist Analysis », *Journal of Advanced Nursing*, vol. 50, n° 3 (mai), p. 293-298.

WEECH-MALDONADO, Robert, *et al.* (2003). « Race / Ethnicity, Language, and Patients' Assessment of Care in Medicaid Managed Care », *Health Services Research*, vol. 38, n° 3 (juin), p. 789-808.

WIDÉN HOLMQVIST, Lotta, Lena VON KOCH et Jesus DE PEDRO-CUESTA (2000). « Use of Healthcare, Impact on Family Caregivers and Patient Satisfaction of Rehabilitation at Home after Stroke in Southwest Stockholm », *Scandinavian Journal of Rehabilitation Medicine*, vol. 32, n° 4 (octobre), p. 173-179.

WILLIAMS, Paul, *et al.* (1999). « Long-Term Care Goes to Market: Managed Competition and Ontario's Reform of Community-Based Services », *Canadian Journal on Aging*, vol. 18, n° 2 (été), p. 125-153.

ZASTOWNY, Thomas, Klaus ROGHMANN et Gail CAFFERATA (1989). « Patient Satisfaction and use of Health Services: Exploration in Causality », *Medical Care*, vol. 27, n° 7 (juillet), p. 705-723.

Nations francophones et Constitution canadienne

Pierre FOUCHER
Université d'Ottawa

Le présent texte entend démontrer que l'idée de « nation canadienne-française » n'a reçu aucune consécration politique ou constitutionnelle spécifique en droit canadien. Elle serait donc restée au stade sociologique et n'a existé, au fond, que dans l'esprit de ses promoteurs. Le droit constitutionnel canadien éprouve d'ailleurs des difficultés à transcender l'État-nation. Toutefois, l'idée que le Canada est un État multinational[1] fait tranquillement son chemin. Si le Québec assume aujourd'hui son statut national, il en va autrement de la francophonie du reste du Canada et surtout de l'Acadie, qui se dote de symboles nationaux, mais ne parvient pas à s'extirper du poids du fédéralisme canadien.

Il semble exister au Canada différentes conceptions de la nation. La conception anglo-dominante conçoit le Canada comme l'expression juridique de la nation canadienne ; la conception de la francophonie en situation minoritaire selon laquelle le Canada serait composé de trois grandes communautés nationales : les autochtones, les francophones et les anglophones (Fédération des communautés francophones et acadienne du Canada, 2001) ; la conception québécoise qui voit dans le Canada l'union de deux nations dont l'une est le Québec (Brouillette, 2005) ; une conception autochtone qui construit les diverses communautés autochtones en nations égales aux autres. À cela pourrait s'ajouter une conception acadienne, mais incertaine, selon laquelle il existerait au Canada plus d'une nation francophone, dont l'Acadie.

Ces distinctions, si importantes soient-elles en science politique ou en sociologie, ne sont pas très utiles au juriste. Une définition juridique est performative. Elle n'a pas un but heuristique, elle a un but normatif : délimiter ce qui revient de droit à chacun, « le tien et le mien ». Aussi ce texte examinera-t-il les principaux éléments du cadre constitutionnel canadien pour y déceler la trace, s'il y a lieu, des représentations juridiques de ce concept national peu défini. L'exercice n'est pas vain puisque le droit constitutionnel ne se limite pas au seul texte de la Constitution : la Cour suprême du Canada a eu l'occasion à maintes reprises de mettre en lumière les « principes non écrits », les aspects implicites, du cadre constitutionnel effectif (*Renvoi sur le rapatriement 1981*, ou *Renvoi relatif à une résolution constitutionnelle* ; *Renvoi relatif à la sécession du Québec*). Le concept de nation peut donc éclairer le sens des textes, donner une couleur au contenu des droits, même inspirer des projets de réforme.

Définition de la nation

Il existe beaucoup de définitions de ce qu'est une nation. La doctrine classe ces définitions en quelques grandes catégories :

- une notion civique : l'unité de territoire, de langue, de coutumes, de lois, d'histoire sur le long terme caractérise la nation. Elle donne lieu à l'acquisition de la nationalité par la « loi du sol ». La nation est ce « plébiscite quotidien », cette acceptation tacite de l'unité politique fondamentale de la collectivité et de l'égalité de chacun de ses membres face à l'État (Renan, 1882) ;

- une notion plus objective, dont la dérive peut devenir essentialiste : la nation présuppose une histoire commune, non seulement une langue mais aussi une vision du monde, une *volkgeist*, un esprit commun. En ce sens, la nation précède l'État. Elle est une unité organique (Fichte, [1808] 1992) ;

- une notion constructiviste : la nation est une communauté imaginée, un mythe, une ressource mobilisée pour justifier le pouvoir qu'exerce l'État sur ses membres. Dans son ouvrage *Imagined Communities*, Benedict Anderson conçoit la nation en termes purement subjectifs et construits : c'est parce que les membres d'une collectivité veulent vivre ensemble, partager les mêmes charges, obligations et solidarités, c'est parce qu'ils construisent un imaginaire collectif qu'ils peuvent mériter le qualificatif de nation (Anderson, 2006). Sans cette volonté, nous soumettons qu'un regroupement de personnes partageant des caractéristiques identitaires sera une communauté, une minorité, une collectivité, un peuple… mais pas une nation.

La nation n'est pas un concept juridique. Le droit constitutionnel, dépositaire des arrangements politiques des nations, ne les connaît que de manière périphérique, à titre de substrat des dispositions juridiques concrètes. L'expression juridique habituelle de la nation, c'est l'État, et le droit international moderne accepte qu'un État englobe plusieurs nations ou que des nations n'aient pas d'État. Quoique l'idéologie européocentriste dominante préfère l'adage « à chaque nation son État », cela n'est pas une obligation en droit international. Cependant, la jurisprudence entend généralement l'État comme l'expression juridique d'une seule nation. Condition nécessaire, donc, mais pas suffisante.

La Constitution de la France, pays qui incarne avec fermeté la notion d'État-nation, ne nomme pas la « nation » ; elle parle de « république une et indivisible », d'« emblème national » et d'« hymne national » (article 2), de « souveraineté nationale », laquelle appartient d'ailleurs au « peuple » (article 3). La Constitution américaine n'emploie pas le terme non plus. Son fameux préambule fait référence au peuple : « *We, the people* ». Les constitutions des États fragiles font référence à cette notion, peut-être pour asseoir une légitimité faible sur un socle juridico-politique qu'ils voudraient plus solide.

Une chose nous apparaît néanmoins importante pour caractériser un groupe de « nation » : la volonté d'exercer un pouvoir politique propre en vue de développer son projet de société. Il nous semble que cette dimension, qui peut s'exprimer dans des institutions administratives autant que politiques (car certaines institutions administratives exercent un vrai pouvoir politique : témoin, les municipalités), distingue le concept de nation de celui de peuple ou de minorité.

Dans ce contexte, le juriste qui veut étudier les expressions constitutionnelles de la nation doit surtout se livrer à des interprétations de textes qui n'en font pas mention. Il s'agit d'interroger des dispositions juridiques pour y retracer leur fondement nationalitaire.

En ce sens, il n'y a pas adéquation entre la Constitution du Canada et les diverses conceptions de la nation qui ont cours au pays. En particulier, les francophones n'ont pas su transcrire la notion d'une nation canadienne-française en institutions juridiques créées ou reconnues par le droit constitutionnel.

Y a-t-il eu *une* nation canadienne-française?

Les historiens postulent, sur la base des représentations, discours et luttes politiques, une nation canadienne-française et catholique qui aurait vécu de 1867 à 1967. L'idée derrière le Canada aurait été de réunir deux « races » pour développer une nation. Ensuite, une nation canadienne-française (et catholique) devait regrouper dans un même projet de société tous les francophones du nord de l'Amérique (Bock, 2004; Martel, 1997).

Dans la mesure où la nation suppose un projet politique qui lui soit associé et une expression juridique dans une constitution, une société qui érige sa propre normativité et, par là, établit les bases de la vie commune, force est de constater que la seule nation francophone était située au Québec (Brouillette, 2005 : 105-199). La structure constitutionnelle de 1867 a reconnu une seule société capable de disposer d'un gouvernement partiellement souverain (selon la jurisprudence, les provinces sont aussi souveraines que le gouvernement fédéral, dans leurs champs de compétence respectifs – arrêt *Liquidators of Maritime Bank* et arrêt *Hodge*) sur son territoire. Il y a donc un important décalage entre les structures constitutionnelles mises en place en 1867 et les discours nationalistes canadiens-français du siècle suivant. Même si on voulait chercher des dispositions portant sur les droits des minorités (dans la mesure où une nation minoritaire gagnerait des droits *à* la gouvernance), on n'en trouverait que fort peu, et elles portent essentiellement sur la religion.

L'Acadie aurait pu présenter les traits objectifs d'une nation francophone: histoire commune, moment fondateur dramatique (la Déportation de 1755), langue commune, traditions et visions du monde partagées, mais pour des raisons historiques qui lui sont propres, cela ne s'est pas traduit par une structure politique nationale. Le projet national acadien n'a d'ailleurs trouvé son expression entière qu'à partir de 1881, lors de grandes conventions acadiennes d'orientation nationale de la fin du XIXe siècle et après que les structures fédérales du Canada eurent été mises en place. Devant ce fait accompli et l'impossibilité politique de modifier ces structures, les Acadiens ont opté pour la création d'institutions civiles ou religieuses, exerçant leur pouvoir et développant leur projet de société en marge des institutions gouvernementales officielles et reconnues, donc en marge des institutions jouissant de la légitimité juridique constitutionnelle que sont les parlements fédéral et provinciaux (Doucet, 1993). Quant aux francophones de l'Ontario et de l'Ouest, ils n'ont jamais revendiqué une structure politique autonome différente de celles de la majorité. Ils s'identifiaient à l'idéal de l'égalité au sein du Canada, témoin les efforts des Métis de l'Ouest pour faire accepter le bilinguisme des institutions provinciales (arrêt *Caron*). Cela n'était pas suffisant pour déployer un véritable projet national franco-canadien. Malgré tout le pouvoir que peuvent exercer les institutions civiles, il leur manque les attributs de l'exercice politique du pouvoir, tel qu'il est organisé et légitimé par une constitution.

Sur le plan fédéral, la thèse des deux peuples fondateurs, l'interprétation francophone de la Confédération (Rémillard, 1980), porte justement sur les *peuples* et non sur les *nations*. George-Étienne Cartier, lui-même, admettait que le Canada serait une nation nouvelle basée sur la coexistence harmonieuse et égalitaire de deux « races », comme on disait alors. La Constitution de 1867 crée une fédération à l'instigation des négociateurs québécois surtout. Les droits linguistiques qu'elle garantit ne s'étendent pas aux Acadiens ni d'ailleurs les droits religieux (affaire *Ex parte Renaud*). La « communauté imaginée » ne comprenait pas ces populations. L'imaginaire collectif n'inclut donc pas un projet politique réunissant tous les francophones du Canada au sein d'une entité qui leur soit propre. S'ils sont ensemble, c'est avec leurs homologues anglophones. La nation canadienne-française semble donc plutôt une protonation, un embryon, une notion floue et ambiguë puisqu'elle se conçoit comme partageant un destin collectif commun, mais au sein de structures politiques consociétales.

La crise scolaire manitobaine de 1891-1896 est révélatrice. Devant la perte des droits de leurs coreligionnaires catholiques du Manitoba, les Québécois ont préféré élire Laurier, qui s'objectait à une loi scolaire réparatrice fédérale (bien que l'article 93 de la *Loi constitutionnelle de 1867* le permette) pour éviter une ingérence indue du Parlement fédéral dans les affaires provinciales. L'affirmation nationale du Canada français n'allait pas jusqu'à la reconnaissance d'un rôle fédéral légitime pour défendre sa dimension pancanadienne. Dans les crises linguistiques de la fin du XXe siècle, le gouvernement fédéral a joué un rôle plus actif, mais s'est fait rappeler qu'il empiétait sur les compétences provinciales (Blay, 1986).

Autrement dit, à la lumière de l'idée de « communautés imaginées » et de projet politique commun, l'idée d'une nation canadienne-française ne s'est jamais concrétisée dans des institutions juridiques et constitutionnelles. Cela a-t-il changé récemment ?

Le Québec en tant que nation au sein du Canada

La mutation du concept sociologique de nation canadienne-française en nation québécoise a été documentée (Seymour, 2002). Elle s'inscrit dans le sens de la fragmentation des identités induite par la mondialisation et par les mutations sociales récentes. Le Québec a continué, pendant quarante ans mais plus fortement encore depuis l'échec de l'Accord constitutionnel du lac Meech en 1990, à se projeter comme nation civique, formée d'une majorité francophone et de minorités, dont sa minorité anglophone.

Face au Québec, le fédéralisme a réagi timidement. La reconnaissance, dans une résolution de la Chambre des communes, adoptée le 26 novembre 2006, du fait que les Québécoises et les Québécois forment une nation au sein d'un Canada uni, a pris les observateurs par surprise. Purement symbolique pour l'instant, motivée par des intérêts électoralistes plus que par une véritable préoccupation pour la nation québécoise, elle marque le fruit d'une évolution graduelle de la pensée constitutionnelle hors Québec, qui oscille entre deux pôles : celui de l'unicité de la nation canadienne et celui de la « communauté des communautés ». Le reste de la structure constitutionnelle est révélateur de cette ambiguïté. La *Loi constitutionnelle* n'est ni un exact reflet de l'identité multinationale du Canada, ni indifférente au statut du Québec. Le choix même de la structure fédérale pour le Canada vient de la présence et de l'insistance des négociateurs du Québec. Au rang des éléments qui confirment un statut spécial au Québec, citons :

- le calcul des sièges à la Chambre des communes et le plancher absolu accordé au Québec malgré son poids démographique ;

- la répartition des sièges au Sénat avec le Québec érigé en région ;

- le partage des compétences et l'attribution aux provinces de la compétence sur l'éducation, sur la propriété et les droits civils dans la province ;

- l'exclusion du Québec des mécanismes d'harmonisation des lois provinciales ;

- l'exclusion du Québec des régimes de pension de vieillesse ;

- le bilinguisme des lois, des assemblées législatives et des tribunaux du Québec et du Canada (l'un étant indissociable de l'autre selon l'arrêt *Blaikie n° 1*).

Au rang des éléments qui penchent vers une uniformité nationale canadienne, sans tenir compte de la spécificité québécoise, citons :

- l'absence d'un droit de veto sur les modifications constitutionnelles touchant le Québec et l'égalité des provinces à ce chapitre ;

- la compétence partagée sur la langue et la culture ;

- l'absence d'une clause d'interprétation constitutionnelle permettant aux tribunaux de développer une jurisprudence adaptée à la situation québécoise.

La nation dans la jurisprudence

Le portrait jurisprudentiel, où on peut appréhender l'image que les juges se font de la province, montre que l'analyse demeure au plan de la culture et de l'enjeu minoritaire, non pas sur le plan de l'idée nationale. Dans *Ford*, arrêt qui porte sur la langue d'affichage, la capacité du Québec à imposer la langue française et la légitimité juridique du geste découle du lien entre langue et culture, pas du lien entre langue et nation (*Ford*, 1988).

Le *Renvoi relatif à la sécession du Québec* ne traite pas directement du concept de nation, alors qu'il discute celui de peuple en droit international. La seule mention expresse du concept semble bel et bien faire référence à l'État-nation, tel qu'on le conçoit traditionnellement. On lit au paragraphe 96 de la décision :

> Il existe inévitablement, après 131 ans de Confédération, un haut niveau d'intégration des institutions économiques, politiques et sociales au Canada. La vision des fondateurs de la Confédération était de créer un pays unifié et non pas une vague alliance de provinces autonomes. Par conséquent, s'il existe des intérêts économiques régionaux qui coïncident parfois avec les frontières provinciales, il existe également des entreprises et intérêts (publics et privés) nationaux qui seraient exposés au démantèlement. Il y a une économie nationale et une dette nationale. La question des frontières territoriales a été invoquée devant nous. Des minorités linguistiques et culturelles, dont les peuples autochtones, réparties de façon inégale dans l'ensemble du pays, comptent sur la Constitution du Canada pour protéger leurs droits.

Et la Cour ajoute un peu plus loin :

> Nul ne peut sérieusement soutenir que notre existence nationale, si étroitement tissée sous tant d'aspects, pourrait être déchirée sans efforts selon les frontières provinciales actuelles du Québec. Comme le disait le Procureur général de la Saskatchewan dans sa plaidoirie :
>
> [TRADUCTION] Une nation est construite lorsque les collectivités qui la composent prennent des engagements à son égard, quand elles renoncent à des choix et des possibilités, au nom d'une nation, [...] quand les collectivités qui la composent font des compromis, quand elles se donnent des garanties mutuelles, quand elles échangent et, peut-être plus à propos, quand elles reçoivent des autres les avantages de la solidarité nationale. Les fils de milliers de concessions mutuelles tissent la toile de la nation...

Dans son passage sur le fédéralisme en tant que principe constitutionnel non écrit, la Cour manifeste la même attitude. Dans sa conception, la nation canadienne a suivi et non précédé l'État canadien :

Le partage des pouvoirs entre le fédéral et les provinces était une reconnaissance juridique de la diversité des premiers membres de la Confédération, et il témoignait du souci de respecter cette diversité au sein d'une seule et même nation en accordant d'importants pouvoirs aux gouvernements provinciaux. La *Loi constitutionnelle de 1867* était un acte d'édification d'une nation. Elle était la première étape de la transformation de colonies dépendant chacune du Parlement impérial pour leur administration en un État politique unifié et indépendant où des peuples différents pouvaient résoudre leurs divergences et, animés par un intérêt mutuel, travailler ensemble à la réalisation d'objectifs communs. Le fédéralisme était la structure politique qui permettait de concilier unité et diversité (Paragraphe 43).

Finalement, la Cour constate que la constitution du Québec en entité fédérée en 1867 découle de considérations culturelles plutôt que vraiment nationales :

Le principe du fédéralisme facilite la poursuite d'objectifs collectifs par des minorités culturelles ou linguistiques qui constituent la majorité dans une province donnée. C'est le cas au Québec, où la majorité de la population est francophone et qui possède une culture distincte. Ce n'est pas le simple fruit du hasard. La réalité sociale et démographique du Québec explique son existence comme entité politique et a constitué, en fait, une des raisons essentielles de la création d'une structure fédérale pour l'union canadienne en 1867.

La nation québécoise et les projets de réforme constitutionnelle récents

La conception du Québec comme nation interne s'est constituée dans un processus historique s'accélérant depuis les quarante dernières années. Toutefois, il y a aussi eu des échecs constitutionnels lourds de conséquences : le refus de reconnaître un droit de veto au Québec sur les modifications constitutionnelles, l'imposition de la *Loi constitutionnelle de 1982* sans le consentement du Québec, les échecs successifs de Meech et Charlottetown, dont le premier, en particulier, a eu des effets sérieux dont nous subissons encore les contrecoups aujourd'hui.

Dans la mesure où elle existe cependant, cette nation québécoise francophone éprouve des difficultés avec la présence d'autres nations francophones au Canada ou même avec la place qu'il conviendrait d'accorder aux nations autochtones. Les propositions du Bloc québécois, présentées en 2007, de créer un Conseil de la radio-télévision du Québec ou d'assujettir les entreprises fédérales établies au Québec à la loi 101, devraient inquiéter non seulement par leurs effets pratiques, mais aussi par l'attitude que cela manifeste à l'endroit des autres francophones du Canada. Si l'usage de l'anglais par les entreprises fédérales constitue un problème, ce problème n'est-il pas doublement criant hors Québec? Pourquoi ne pas reconnaître que les interventions du Conseil de la radiodiffusion et des télécommunications canadiennes ont été bénéfiques pour la diffusion de la culture francophone au Canada, de même qu'au Québec? Ces revendications, si elles sont mues par des intérêts politiques, placent les autres francophones du Canada dans une position difficile : soit s'objecter et être perçus comme opposés au Québec, soit ne rien dire et sacrifier leurs propres intérêts. L'absence d'un forum politique proprement francophone et canadien se fait ici sentir. C'est le genre de questions dont un tel forum pourrait se saisir.

Des forums interprovinciaux recèlent un potentiel intéressant pour les francophones de tout le Canada : le Conseil de la fédération, regroupant les premiers ministres des provinces et territoires, le Conseil des ministres de l'Éducation du Canada, la Conférence ministérielle sur la francophonie canadienne, entre autres, sont des regroupements interprovinciaux qui coordonnent des actions concertées pouvant avoir un impact sur les francophones du Canada. Ces organismes sont structurés à partir des provinces, entités constitutionnellement reconnues et investies de la souveraineté partielle, mais dont une seule combine une identité provinciale avec une identité nationale. La nature même de ces entités empêche le plein déploiement d'une conscience nationale francophone canadienne. C'est en tant que provinces ou territoires accueillant des minorités que ces entités opèrent. C'est quand même une avancée dans les institutions de gouvernance au Canada, puisque ces forums peuvent générer des programmes et des décisions propices au développement culturel ou social des communautés. Mais ce ne sont pas – encore – des entités gouvernementales investies d'un pouvoir normatif. Elles n'ont pas de reconnaissance constitutionnelle.

Les francophonies canadiennes : des minorités culturelles en quête d'autonomie

Les autres francophones du Canada n'avaient pas voulu le démembrement de « leur » nation. Devant le repli du Québec sur son territoire, les minorités francophones du reste du pays ont soudain été mises devant leur réalité : elles étaient des minorités provinciales. Au sentiment d'abandon du Québec se greffait la prise de conscience de l'ignorance ou de l'hostilité du reste du Canada, exprimée dans ce titre si révélateur de leur premier organisme porte-parole : « Pour ne plus être... sans pays » (Fédération des francophones hors Québec, 1979). Les institutions francophones provinciales de gouvernance, issues des années 1970, se sont fédérées entre elles, empruntant au fédéralisme certains des éléments de leur représentativité. Les institutions de gouvernance mises en place dans les années 1970-1980 sont donc des associations provinciales regroupées au sein de fédérations nationales, celles-ci agissant comme interlocutrices privilégiées du gouvernement central. Alors que la provincialisation de l'identité francophone au Canada est étudiée, la fédéralisation de ces identités au sein d'institutions nationales l'est beaucoup moins. Le fait qu'elles sont de plus en plus cooptées comme organismes de livraison de services au nom du gouvernement canadien fait en sorte qu'elles doivent tenir compte de l'intérêt public autant que de celui de leurs membres à strictement parler (Forgues, 2010). Elles ne sont pas des « gouvernements », elles n'ont pas de légitimité constitutionnelle ou de pouvoir normatif, mais on y retrouve en leur sein les mêmes débats que ceux qui agitent le reste de la société (ainsi, les débats à la FCFA portant sur la question nationale, lors des événements constitutionnels entourant l'Accord du lac Meech, le référendum de Charlottetown en 1992 ou les référendums québécois de 1980 et 1995, ont souvent reflété les débats qui avaient cours dans la société elle-même).

La clause Canada de l'Accord du lac Meech, première mouture, allait dans le sens d'une reconnaissance formelle d'une nation francophone au sein du Canada, mais le passage du « Canada français » aux « Canadiens d'expression française » est redevenu plus conforme à la vision d'une nation avec des minorités, voire des individus dont la langue est en situation minoritaire.

L'article 16.1 de la *Charte* emploie l'expression « communautés linguistiques » et exclut soigneusement la sphère politique de sa reconnaissance du droit à des institutions.

Les articles 16 à 20 de la *Charte* emploient un vocable neutre : « chacun a droit », « le public a droit »… L'article 23 utilise des critères fondés soit sur la langue maternelle ou la langue d'instruction, mais utilise aussi comme point de référence le concept de « minorité francophone ou anglophone de la province ». Cette minorité peut être qualifiée de « nationale » par une interprétation du texte lui-même. Quant aux législations fédérales ou provinciales, elles ne font référence que parcimonieusement à des expressions comme « Acadiens » ou « minorités linguistiques » (Foucher, 2010). La jurisprudence, même si elle manifeste depuis quelques années une tendance à l'ouverture, cantonne cependant les communautés linguistiques dans le statut de « minorité », sans la qualifier de « nationale ».

Par contre, certaines initiatives du secteur communautaire vont dans le sens d'une autonomie de gouvernance culturelle et d'une participation reconnue des représentants des francophones à l'exercice du pouvoir. Sur ce front, on peut signaler ce jugement de la Cour fédérale du Canada (*Raîche*, 2004) dans lequel il est reconnu que la dimension linguistique et culturelle est un facteur dont doivent tenir compte les commissions qui délimitent les frontières des circonscriptions fédérales à la Chambre des communes. Le récent projet de réforme du Sénat proposé en 2007 par le gouvernement du jour n'allait pas du tout en ce sens, en proposant une élection – maquillée en consultation populaire – au suffrage proportionnel des sénateurs dans chaque province. De plus, l'affaire *Desrochers*, rendue en 2009, laisse entière la question de la livraison de services gouvernementaux par des institutions de gouvernance propres aux francophones. La décision constate cependant, ce qui est déjà beaucoup, que les services et programmes du gouvernement fédéral, pour être de « qualité égale » à ceux de la majorité, doivent être élaborés en partenariat avec les communautés linguistiques officielles et être conçus, développés et livrés en tenant compte de leurs besoins spécifiques. On voit peut-être émerger, prudemment, un droit à la gouvernance des communautés linguistiques officielles (Foucher, à paraître).

Le peuple acadien se présente comme une nation. Ce peuple dispose des symboles nationaux usuels : un drapeau, une devise, un hymne national, une fête nationale. Ce peuple partage non seulement une histoire, mais aussi une vision commune du monde, un « esprit national », des mythes fondateurs communs. Il a même une diaspora, un phénomène qui commence à peine à être appréhendé. Ce qu'on peut questionner, toutefois, c'est sa volonté d'être doté d'institutions politiques propres, de s'autogouverner au moins dans certaines sphères qui touchent directement son identité. L'un des problèmes majeurs est que l'Acadie n'a pas de territoire politique sur lequel exercer sa juridiction. Les Inuits ont, pour leur part, conclu qu'ils avaient besoin d'un tel territoire et ont lutté pour la création du Nunavut, qui a eu dix ans en 2009. On peut cependant questionner le fait que ce critère territorial soit indispensable à l'exercice d'un pouvoir politique au nom d'un idéal national. Au Nouveau-Brunswick, les idées autonomistes ne manquent pas. Rien, en principe, ne s'oppose à ce qu'une nation exerce un pouvoir institutionnel aterritorial. Chaque proposition de la communauté acadienne est suivie par une réponse gouvernementale renforçant la vision « minoritariste » de celle-ci plutôt que sa vision d'une nation minoritaire. On est passé de la province acadienne (1979) à l'égalité constitutionnelle des communautés linguistiques (1981), de la dualité administrative (populaire dans les années 1970) jusqu'au bilinguisme officiel intégral (nouvelle loi sur les langues officielles en 2002), des résultats de la Convention d'orientation nationale de l'Acadie de 2004 avec l'Assemblée délibérante acadienne (qui a suscité beaucoup d'intérêt et de curiosité au moment où l'idée a été proposée) jusqu'aux propositions plus récentes de forum citoyen de consultation, intégrés aux mécanismes bureaucratiques de gestion des ententes financières entre l'Acadie du Nouveau-Brunswick et le gouvernement fédéral. On sent une volonté de chercher des principes qui vont permettre aux Acadiens et Acadiennes de se constituer finalement en nation interne plutôt qu'en minorité linguistique. La résistance corrélative des gouvernements à ces diverses propositions montre aussi qu'il y a loin de la gouvernance au gouvernement, de l'autonomie à l'autodétermination.

C'est que toute mise en place d'une instance francophone de pouvoir en marge des institutions actuelles créera des conflits de légitimité.

Les conflits de légitimité

Si l'on discute de plus en plus, comme en font foi les textes de ce recueil, la légitimité politique et représentative des institutions de gouvernance des minorités francophones, peu d'accent est mis sur la légitimité légale-rationnelle et le poids que celle-ci fait peser sur tout projet autonomiste francophone, provincial ou canadien.

La légitimité repose à la fois sur le consentement des gouvernés et sur l'autorité juridique, et l'autorité juridique ultime provient de la Constitution, expression de la volonté du peuple, émanation juridique des nations constituées en États. Sans confondre légalité et légitimité (dans le *Renvoi sur le rapatriement* de 1981, la distinction est posée clairement), la Cour suprême du Canada lie intrinsèquement les deux dimensions :

> Pour être légitimes, les institutions démocratiques doivent reposer en définitive sur des fondations juridiques. Cela signifie qu'elles doivent permettre la participation du peuple et la responsabilité devant le peuple par l'intermédiaire d'institutions publiques créées en vertu de la Constitution. Il est également vrai cependant qu'un système de gouvernement ne peut survivre par le seul respect du droit. [...] La légitimité de nos lois repose aussi sur un appel aux valeurs morales dont beaucoup sont enchâssées dans notre structure constitutionnelle. Ce serait une grave erreur d'assimiler la légitimité à la seule « volonté souveraine » ou à la seule règle de la majorité, à l'exclusion d'autres valeurs constitutionnelles (*Renvoi relatif à la sécession du Québec*, paragraphe 67).

Ce n'est pas le lieu de commenter ici la pertinence de cet extrait. Qu'il suffise de noter que la légitimité des arrangements juridiques actuels repose, selon cette analyse, sur un amalgame de consentement populaire, de valeurs exprimées dans les textes et sur la légitimité du droit lui-même en tant que système. Or les garanties juridiques et constitutionnelles, sans directement convoquer le concept de nation, y font implicitement référence.

La mutation du Canada d'un État-nation à un véritable État multinational est en voie de se faire, mais elle se heurte à des éléments structurants qui la freinent : la *Charte* avec ses droits individuels, l'idée de l'égalité de toutes les provinces, des phénomènes externes comme la pénétration des nouvelles technologies, la mondialisation et l'immigration qui transforment les processus sociaux, le déplacement de la richesse du centre du pays vers les périphéries du territoire canadien. Tout cela entraîne des répercussions sur la représentation que les Canadiens et les Canadiennes se font d'eux-mêmes et de leur État. De même, la quête d'autonomie gouvernementale des francophones du Canada se bute à la structure fédérale du pays, qui est véritablement la tendance lourde, le facteur structurant le plus puissant, du constitutionnalisme canadien, malgré tout ce que peuvent en dire les chantres du « constitutionnalisme de charte ». À quoi bon, en effet, se doter d'une structure de gouvernement qui n'aurait ni de moyens financiers, ni une capacité réelle, ni un projet de société propre justifiant que sa nation lui sacrifie des ressources, du temps et de l'énergie ? Ce ne serait alors que de l'ingénierie sociale, des coquilles vides.

On assiste déjà à des conflits de légitimité au sein des institutions existantes. Qui parle en mon nom en tant que francophone ? Mon député provincial ? fédéral ? mon association porte-parole ? Les fonctionnaires de la francophonie, mes alliés intérieurs dont le mandat repose maintenant sur la Partie VII de la *Loi sur les langues officielles* du Canada (pour le palier fédéral), ou d'autres lois me garantissant des services ? Ou la Cour suprême du Canada ? Celle-ci aura-t-elle la même légitimité quand elle recommencera à rendre des décisions mal adaptées aux droits linguistiques, comme en 1986 (arrêt *Société des Acadiens*) ou en 2006 (arrêt *Charlebois c. St-John*) ? Personne ne songe à contester sérieusement l'autorité d'un gouvernement, provincial ou fédéral, à imposer des mesures ou adopter des politiques, autrement que par la voie judiciaire. Même les souverainistes québécois admettent, en grande majorité, qu'il faut respecter le cadre juridique canadien pendant que le Québec fait partie du Canada. Les « gestes de souveraineté » prônés par certains ont été vite décriés justement parce qu'ils étaient illégaux et entraîneraient des conflits de légitimité insolubles. Le passage d'un ordre juridique à un autre, dans un État de droit, ne se fait que dans des formes démocratiques *et* légales.

La problématique des conflits de légitimité n'est pas unique au domaine de la représentation politique des francophones du Canada, mais sa situation complexe la pose avec acuité. Déjà, dans un système fédéral, la division de la souveraineté étatique entre diverses entités permet l'émergence de ce conflit : tantôt, c'est la légitimité fédérale, tantôt la légitimité provinciale qui est questionnée. Par contre, sur un plan juridique, ce conflit va se résoudre devant la Cour par l'équilibrage de la volonté politique majoritaire avec le constitutionnalisme. En effet, même sur le plan du partage des pouvoirs législatifs, la Cour suprême a reconnu que si des arrangements administratifs sont possibles, les assemblées parlementaires ne peuvent cependant pas se transférer une compétence constitutionnelle, quand bien même tous les gouvernements concernés y consentiraient (affaire *Attorney General for Nova Scotia* de 1951). Dans cette affaire, la Nouvelle-Écosse voulait transférer au Parlement fédéral son pouvoir de légiférer sur les relations de travail dans les entreprises provinciales ; en termes clairs et parfois durs, la Cour a rejeté cet arrangement. Selon les juges, le partage des pouvoirs législatifs est sous-tendu par une légitimité constitutionnelle en vertu de laquelle les citoyens et citoyennes s'attendent à ce que chaque ordre de gouvernement, chaque député, exerce les compétences que lui attribue la Constitution, qui appartient ultimement au peuple, et ce n'est que par une modification constitutionnelle, par nature complexe et difficile à atteindre, que ces modifications peuvent intervenir. Il convient de noter que cette position assure la stabilité et la légitimité à long terme de l'ensemble de la structure fédérale.

La Charte des droits bénéficie aussi d'un fort capital de légitimité auprès de la population hors Québec, en ce qu'elle protège des valeurs fondamentales qui ne peuvent être limitées que de façon raisonnable et proportionnée. Même si on entend parfois des allégations de « gouvernements des juges », le système de protection des droits fondamentaux bénéficie d'une forme importante de légitimité. Si la *Charte* ne dispose pas d'un capital de légitimité très fort au Québec, c'est parce qu'elle lui a été imposée, parce qu'on y craint ses effets uniformisant et parce qu'elle reflète aux yeux de plusieurs des valeurs et des idéologies que ne partage pas l'ensemble de la population francophone du Québec. Ce n'est pas parce que le peuple québécois n'est pas soucieux de respect des droits fondamentaux de la personne.

J'ai moi-même développé des modèles d'institutions acadiennes propres à assurer l'autonomie, au moins, au Nouveau-Brunswick (Foucher, 1984). Johane Poirier plaide en faveur d'institutions canadiennes pour les francophones (Poirier, 2008). Ingride Roy recense les formes de participation des minorités nationales au pouvoir, en droit international et comparé (Roy, 2006). En effet, tout cela semble souhaitable dans la mesure où c'est sous-tendu par une volonté ferme et inébranlable d'une nation d'être dotée d'outils qui lui permettront d'exercer certains des attributs de la nation : prélever l'impôt, voter les lois (la loi a besoin d'un territoire pour être effective), imposer des normes, débattre des questions sociales, redistribuer la richesse, assurer la relève, pourvoir au développement économique... Bref, poser des gestes d'affirmation nationale. Cela doit aussi passer par une modification éventuelle de la Constitution pour asseoir la légitimité réelle de ces institutions sur des bases légales-rationnelles solides. On en est loin.

Pour l'instant, dans l'état actuel de notre droit, ce sont des provinces et des territoires qui incarnent l'émanation juridique d'une nation, la puissance publique, la souveraineté dans les champs de compétence prévus par la Constitution. Au niveau fédéral, le Sénat pourrait jouer un rôle utile de Chambre des nations ; mais les projets actuels ne vont pas dans ce sens. L'Acadie pourrait, elle aussi, tendre vers un projet politique commun, regroupant les Acadiens des provinces atlantiques. Mais encore ici, elle se heurte à la structure fédérative. En fait, ce n'est que récemment que le bilinguisme officiel est devenu un objectif national pour le Canada, et cela se fait au sein d'institutions fédérales partagées entre la majorité et la minorité. En attendant une restructuration de ces rapports, il faudra tabler sur des instances existantes comme le Sénat ou bien les organismes interprovinciaux, ou le droit constitutionnel à des institutions distinctes de gouvernance en matière linguistique et culturelle.

NOTE

1. Nous entendons ce terme dans le sens d'un État abritant plus d'une nation en son sein et qui s'organise en institutions qui tiennent compte de ce fait (voir, entre autres, S. Pierré-Caps [1995]).

BIBLIOGRAPHIE

ANDERSON, Benedict (2006). *Imagined Communities*, New London, New York, Verso.

BLAY, Jacqueline (1987). *L'Article 23: les péripéties législatives et juridiques du fait français au Manitoba, 1870-1986*, Saint-Boniface, Éditions du Blé.

BOCK, Michel (2004). *Quand la nation débordait les frontières*, Montréal, Hurtubise HMH.

BROUILLETTE, Eugénie (2005). *La négation de la nation*, Québec, Éditions du Septentrion.

DOUCET, Philippe (1993). « La politique et les Acadiens », dans Jean Daigle (dir.), *L'Acadie des Maritimes*, Moncton, Chaire d'études acadiennes, p. 299-341.

FÉDÉRATION DES COMMUNAUTÉS FRANCOPHONES ET ACADIENNE DU CANADA (FCFA) (2001). *Parlons-nous! Rapport du groupe de travail Dialogue*, [En ligne], [http://www.fcfa.ca/documents/163.pdf] (23 août 2010).

FÉDÉRATION DES FRANCOPHONES HORS QUÉBEC (1979). *Pour ne plus être sans pays: une nouvelle association pour les deux peuples fondateurs*, rapport du comité politique de la Fédération des francophones hors Québec, Ottawa, La Fédération.

FICHTE, Johann Gottlieb ([1808] 1992). *Discours à la nation allemande*, Paris, Imprimerie nationale.

FORGUES, Éric (2010). « La gouvernance des communautés francophones en situation minoritaire et le partenariat avec l'État », *Politique et Sociétés*, vol. 29, n° 1, p. 71-90.

FOUCHER, Pierre (à paraître). « Le droit à la gouvernance en droit international et canadien ».

FOUCHER, Pierre (2010). « Les ayants-droit : définir l'identité constitutionnelle des francophones au Canada », dans Nathalie Bélanger, Nicolas Garant, Phyllis Daley et Tina Desabrais (dir.), *Produire et reproduire la francophonie en la nommant*, Sudbury, Prise de parole, p. 149-171.

FOUCHER, Pierre (1984). *Les communautés linguistiques au Nouveau-Brunswick: égales en droit et en dignité*, Moncton, Conférence permanente des institutions acadiennes.

MARTEL, Marcel (1997). *Le deuil d'un pays imaginé*, Ottawa, Les Presses de l'Université d'Ottawa.

PIERRÉ-CAPS, Stéphane (1995). *La multination : l'avenir des minorités en Europe centrale et orientale*, Paris, Odile Jacob, 1995.

POIRIER, Johane (2008). « Au-delà des droits linguistiques et du fédéralisme classique : favoriser l'autonomie institutionnelle des francophonies minoritaires du Canada », dans Joseph Yvon Thériault, Anne Gilbert et Linda Cardinal, *L'espace francophone en milieu minoritaire au Canada : nouveaux enjeux, nouvelles mobilisations*, Montréal, Fides, p. 513-562.

RÉMILLARD, Gil (1980). *Le fédéralisme canadien : éléments de formation et d'évolution*, Montréal, Québec Amérique.

RENAN, Ernest (1882). « Qu'est-ce qu'une nation ? », texte de la conférence prononcée en 1882, dans *Encyclopédie de l'Agora : conférence, politique, politologie*, [En ligne], [http://agora.qc.ca/reftext.nsf/Documents/Nation--Quest-ce_quune_nation_par_Ernest_Renan (24 septembre 2008).

ROY, Ingride (2006). *Vers un droit de participation des minorités à la vie de l'État ? Évolution du droit international et pratique des États*, Montréal, Wilson et Lafleur.

SEYMOUR, Michel (dir.) (2002). *États-nations, multinations et organisations supranationales*, Montréal, Liber.

JURISPRUDENCE

« Charlebois c. Saint-John », *Recueil des arrêts de la Cour suprême du Canada = Canada Supreme Court Reports*, vol. 3 (2005), p. 563.

« Desrochers c. Canada (Industrie) », Cour suprême Canada 8, *Recueil des arrêts de la Cour suprême du Canada = Canada Supreme Court Reports*, vol. 1 (2009), p. 194.

« Ex parte Renaud », *Recueil des arrêts du Nouveau-Brunswick = New Brunswick Reports*, vol. 14 (1872-1873), p. 273.

« Hodge v R », *Cour d'appel = Appeal Cases*, vol. 9 (1883-1884), p. 117.

« Liquidators of Maritime Bank v Receiver general for New Brunswick », *Cour d'appel = Appeal Cases*, (1892), p. 437.

« Procureur général du Québec c Blaikie (nº 1) », *Recueil des arrêts de la Cour suprême du Canada = Canada Supreme Court Reports*, vol. 2 (1979), p. 1016.

« Procureur général du Québec c Ford », *Recueil des arrêts de la Cour suprême du Canada = Canada Supreme Court Reports*, vol. 2 (1988), p. 712.

« R. c. Beaulac », *Recueil des arrêts de la Cour suprême du Canada = Canada Supreme Court Reports*, vol. 1 (1999), p. 768.

« R. c. Caron », Cour provinciale de l'Alberta, 2008, p. 232.

« Raîche c. Canada (Procureur général) », Cour fédéral, 2004, 679, *Recueil des décisions des cours fédérales = Federal Court Reports*, vol. 1 (2005), p. 93.

« Renvoi relatif à une résolution constitutionnelle », *Recueil des arrêts de la Cour suprême du Canada = Canada Supreme Court Reports*, vol. 1 (1981), p. 753.

« Renvoi relatif à la sécession du Québec », *Recueil des arrêts de la Cour suprême du Canada = Canada Supreme Court Reports*, vol. 2 (1998), p. 217.

« Société des Acadiens du Nouveau-Brunswick c. Association of Parents for Fairness in Education », *Recueil des arrêts de la Cour suprême du Canada = Canada Supreme Court Reports*, vol. 1 (1986), p. 549.

Analyse comparative du rapport à l'identité chez les jeunes des communautés de langue officielle au Canada

Diane GÉRIN-LAJOIE
Université de Toronto
OISE

Il sera question, dans le présent article, du rapport à l'identité chez les jeunes francophones et anglophones qui fréquentent les écoles secondaires situées en milieu minoritaire au Canada et, plus particulièrement, du rôle de l'école dans le développement de ce rapport à l'identité. L'analyse sociologique prendra comme point de départ que l'identité n'est pas quelque chose d'inné, mais plutôt le résultat d'une construction sociale (Breton, 1968, 1983; Juteau 1999; Cardinal, 1994; Gérin-Lajoie, 2001, 2003). Favorisant une approche comparative critique, la réflexion tentera de montrer la complexité des enjeux dans le développement du rapport à l'identité chez les élèves des communautés de langue officielle, c'est-à-dire les francophones à l'extérieur du Québec et les anglophones au Québec.

Nous verrons, en effet, que les élèves de ces communautés développent un rapport à la langue et à la culture qui les amène immanquablement à vivre à la frontière des deux langues officielles – et parfois même de trois langues dans le cas des minorités raciales et ethniques (Gérin-Lajoie, 2003; Grosjean, 1982; Lamarre *et al.*, 2002). Cette réalité viendra influencer la façon dont les jeunes établissent leur rapport à l'identité. En effet, ces derniers seront amenés à se percevoir de diverses façons en ce qui a trait à leur identité et à leur appartenance de groupe. Ils se définiront comme francophones, anglophones, bilingues, trilingues, etc.

Cette situation incite donc à reconnaître la présence d'identités éclatées, fragmentées, où le positionnement face à l'identité varie et où il faut aussi reconnaître le développement de nouvelles formes identitaires, comme, par exemple, l'identité bilingue. Quel impact cette nouvelle réalité a-t-elle sur l'école qui, de son côté, privilégie davantage des pratiques scolaires que l'on pourrait qualifier d'« uniformisantes » ? Dans ce contexte où les appartenances sont multiples et où de nouveaux rapports à l'identité se dessinent, on peut se demander comment l'école, ce lieu de reproduction sociale, linguistique et culturelle privilégié, arrive à composer avec une population scolaire aux identités multiples ?

Les résultats de deux études ethnographiques (la première complétée (Gérin-Lajoie, 2003) et la seconde en cours d'analyse) serviront à la réflexion. Ces études ont donné lieu respectivement à trois années d'observation en milieu scolaire et à de multiples entretiens avec deux groupes d'élèves fréquentant l'école secondaire en Ontario et au Québec. Précisons que les deux études ethnographiques ont été effectuées à deux moments différents dans le temps. C'est, en effet, à la fin du projet qui a porté sur les jeunes en Ontario que l'idée a germé de faire le même type de recherche au Québec afin d'établir une comparaison entre les deux minorités de langue officielle et le rôle de l'école dans ces deux contextes particuliers. Dans les deux cas, les études ethnographiques ont d'abord permis de mieux comprendre la façon dont les jeunes se positionnent dans leur rapport à l'identité et de constater la variété et la complexité de ces divers positionnements. Les deux études ont aussi tenté de jeter un nouvel éclairage sur le rôle de l'école dans le développement du rapport à l'identité chez les élèves.

Dans les pages qui suivent, nous verrons ce que l'analyse comparative en cours a révélé jusqu'à présent. Mais avant de procéder à cette analyse, je parlerai brièvement des études ethnographiques sur lesquelles repose ma réflexion.

Les études ethnographiques qui ont servi à l'analyse

Fondées sur une approche sociologique critique, les études avancent dès le départ que l'appartenance à un groupe linguistique, ethnique, racial ou culturel, de même que le positionnement identitaire des élèves se trouvent fortement liés aux pratiques sociales de ces derniers, pratiques qui se situent elles-mêmes à l'intérieur de rapports de force particuliers. Les deux études tentent de montrer la complexité des enjeux liés au développement du rapport à l'identité chez les élèves des communautés de langue officielle. Dans ce contexte de diversité, je me suis en effet demandé comment l'école pouvait arriver à composer avec ces multiples appartenances, ce nouveau rapport à l'identité toujours en mouvance quand, de son côté, le discours officiel continue de privilégier une réalité de « majoritaires » qui ne reflète pas toujours celle des élèves.

Le contexte des deux études

Au Canada, les communautés de langue officielle, soit les francophones à l'extérieur du Québec et les anglophones au Québec, ont un droit garanti à l'instruction dans la langue de la minorité linguistique de la province ou du territoire de résidence, droit qui est inscrit dans la *Charte canadienne des droits et libertés* pour les francophones hors Québec, et dans la *Charte de la langue française* pour les anglophones du Québec. L'institution scolaire représente donc un véhicule important pour la transmission de la langue et de la culture minoritaires ainsi que pour le développement du rapport à l'identité et du sens d'appartenance au groupe. En effet, outre qu'elles servent à transmettre des connaissances et à socialiser les élèves, comme le font les autres écoles d'ailleurs, on s'attend à ce que ces écoles de la minorité jouent un rôle clé dans le maintien de la langue et de la culture minoritaires (Gérin-Lajoie, 1997). Précisons ici qu'il n'est pas question des écoles d'immersion, mais bien des écoles qui offrent un enseignement dans la langue maternelle, soit en français ou en anglais, et qui sont gérées entièrement par la minorité linguistique.

Pour les francophones qui vivent à l'extérieur du Québec, ce rôle associé à la sauvegarde de la langue et de la culture françaises s'est toujours révélé particulièrement crucial, la communauté comptant sur l'institution scolaire pour l'aider à se développer. De nos jours, l'école doit relever un défi de taille, puisque les élèves vivent des réalités diverses et font montre d'un rapport à l'identité qui est loin d'être linéaire. En effet, la communauté n'est plus homogène sur les plans linguistique, racial et culturel, et cela a des répercussions considérables sur la population des écoles. L'école de langue anglaise au Québec tient également une place importante dans les communautés anglophones, surtout celles qui sont situées à l'extérieur de Montréal, mais les enjeux ne sont pas les mêmes.

Les communautés de langue officielle en Ontario et au Québec

L'Ontario

Près de 500 000 francophones vivent dans la province de l'Ontario, et ils en représentent 5 % de la population. C'est dans cette province que l'on retrouve le plus grand nombre de francophones à l'extérieur du Québec. On y compte 12 conseils scolaires de langue française, sur un total de 72. La population scolaire est hétérogène sur les plans de la langue, de la culture et de la race. Les francophones qui vivent à l'extérieur du Québec sont fortement influencés par l'anglais dans leurs pratiques langagières et culturelles. Par conséquent, les élèves des écoles de langue française possèdent souvent des compétences variées en français. Certains d'entre eux le parlent couramment, alors que d'autres maîtrisent difficilement la langue minoritaire. Plusieurs enfants grandissent dans des familles exogames, composées d'un parent francophone et d'un parent anglophone. Il est fréquent de retrouver l'anglais comme langue d'usage au sein de ces familles. On retrouve également une population immigrante dans les écoles, ce qui a pour effet de complexifier encore davantage les pratiques langagières et culturelles, puisque la présence de ces élèves ajoute une dimension supplémentaire à la notion de diversité.

Dans ce contexte, l'école de langue française se voit confier un mandat plus large que celui de transmettre des savoirs et de sensibiliser les élèves aux valeurs de la société. À travers son discours officiel, le ministère de l'Éducation de l'Ontario demande aussi à l'école de contribuer au maintien de la langue et de la culture françaises. Une politique d'aménagement linguistique, en vigueur depuis 2004, vient appuyer cette mission. L'école représente encore l'institution par excellence pour assurer la sauvegarde de la communauté francophone dans cette province.

Le Québec

À majorité francophone, le Québec compte près de 600 000 anglophones, représentant ainsi environ 13 % de la population totale de cette province. Comme dans le cas des francophones qui vivent à l'extérieur du Québec, les anglophones du Québec possèdent le droit légal de recevoir leur éducation dans la langue de la minorité officielle. Le Québec compte neuf commissions scolaires anglophones. Comme en Ontario, on retrouve une population scolaire hétérogène sur les plans de la langue, de la culture et de la race, même si les nouveaux arrivants ne peuvent pas, en principe, fréquenter l'école de la minorité anglophone. En vertu la loi, ils doivent fréquenter l'école de langue française. Il est important, cependant, de faire une distinction entre les écoles de langue anglaise de la région de Montréal et celles du reste de la province. La région de Montréal possède, en effet, une grande concentration d'anglophones, ce qui facilite la vie en anglais. Mais ce n'est pas le cas ailleurs au Québec, où il peut être pratiquement impossible de vivre dans la langue de la minorité. Cette situation est d'ailleurs similaire à celle des francophones en Ontario. Ajoutons finalement qu'il est difficile de parler d'une communauté anglophone homogène. On parle davantage de « communautés » au pluriel, étant donné que la réalité des anglophones n'est pas la même partout.

Les objectifs et les fondements théoriques des deux études

Les deux études se donnaient comme objectif général d'examiner les parcours identitaires d'un groupe d'adolescents et d'adolescentes fréquentant quelques écoles secondaires de langue française en Ontario et de langue anglaise au Québec, en prenant comme point de départ que le rapport à l'identité de ces jeunes est conçu en fonction de représentations qui résultent de leur trajectoire de vie. Dans ce contexte, le rapport à l'identité sert donc à se positionner sur les plans linguistique et culturel. Partant du principe que l'identité s'acquiert et qu'elle est en quelque sorte le résultat d'une construction sociale et non pas quelque chose d'inné (Barth, 1969 ; Breton, 1994 ; Juteau, 1999 ; Gérin-Lajoie, 2003), les études voulaient examiner comment la notion d'identité s'articule chez les adolescents et les adolescentes. Elles comportaient les objectifs suivants : 1) comprendre comment se perçoivent et se définissent les adolescents et les adolescentes en tant qu'individus appartenant à une minorité linguistique, pour ensuite analyser le parcours qui les a menés à faire ces choix identitaires – en mettant particulièrement l'accent sur la notion d'identité bilingue à laquelle s'identifient de plus en plus de jeunes ; 2) déconstruire la notion d'identité bilingue dans le but a) d'en mieux comprendre la signification auprès des adolescents et des adolescentes et b) d'examiner si une telle forme identitaire peut exister en soi, en tant que phénomène stable, ou s'il s'agit plutôt d'un phénomène transitoire conduisant, en dernière instance, à l'assimilation au groupe majoritaire de la province ou du territoire de résidence.

Je voulais, en effet, tenter d'aller plus loin que ne l'ont fait la plupart des études quantitatives portant sur l'identité bilingue, où ce concept se voit souvent réduit à un construit théorique employé de façon monolithique (Castonguay, 1999 ; Bernard, 1998). Je voulais voir si la notion d'identité bilingue pouvait faire référence à une appartenance spécifique pour ceux et celles qui s'en prévalent. Finalement, je voulais examiner la façon dont les adolescents et les adolescentes composent avec une réalité où ils se retrouvent constamment à la frontière d'au moins deux langues. Peu d'études jusqu'ici au Canada ont étudié la question sous cet angle (Heller, 1999 ; Boisonneault, 1996 ; Gérin-Lajoie, 2003).

Les deux études ont reconnu, dès le départ, le rôle essentiel tenu par la langue dans le processus de construction et de représentation identitaires des individus (Heller, 1994). La langue est en effet au centre des rapports sociaux, puisque c'est en très grande partie par la communication orale que s'établissent ces rapports. C'est d'abord dans la famille que l'individu acquiert un sens d'appartenance au groupe, que l'identité se forme, puisque sa famille constitue le premier agent de reproduction sociale, linguistique et culturelle (Juteau, 1999). J'en ai ainsi tenu compte en examinant le contexte familial dans lequel vivent les adolescents et les adolescentes. J'ai également examiné le rôle du groupe d'amis et amies dans le développement du rapport à l'identité des jeunes qui ont participé à ces deux études. Mais c'est surtout dans le contexte scolaire que la notion d'identité a été examinée, à cause du rôle essentiel que joue l'école dans la reproduction de la langue et de la culture minoritaires. Conséquemment, je me suis intéressée au discours de l'école sur la question du rapport à l'identité et du sens d'appartenance au groupe chez les élèves.

Le cadre méthodologique de l'étude

Les jeunes de l'étude

En Ontario, le groupe à l'étude était composé d'un échantillon d'élèves âgés de 15 et 16 ans au début du projet. Ces élèves se trouvaient en 10ᵉ et 11ᵉ année dans deux écoles secondaires de la province.

La première de ces écoles était située dans la région métropolitaine de Toronto, soit dans le centre de l'Ontario, où les francophones représentent une faible minorité – soit 1,8 % de la population totale de l'Ontario – et où le niveau d'anglicisation est élevé. La deuxième école se trouvait dans l'est de l'Ontario, où les francophones sont plus nombreux, représentant 14,7 % de la population ontarienne – et où le phénomène de l'anglicisation est moins prononcé que dans le centre de la province (Ontario. Office des affaires francophones, 2005).

En ce qui concerne l'étude ethnographique menée au Québec, les élèves étaient inscrits en 3ᵉ secondaire (soit l'équivalent de la 10ᵉ année en Ontario) au moment où celle-ci a débuté. Ces élèves étaient âgés de 14 et 15 ans et fréquentaient deux écoles : une située sur l'île de Montréal, dans un milieu majoritairement francophone. Pour être admis à cette école, les élèves doivent cependant réussir des examens d'entrée. Les candidats et candidates viennent de différents secteurs de Montréal, bien qu'on y retrouve une majorité d'élèves d'origine italienne de l'est de la ville. La deuxième école, située sur la Rive-Sud de Montréal, avait une population scolaire composée en grande partie d'élèves de familles exogames, c'est-à-dire dont l'un des parents est francophone et l'autre anglophone, et d'une faible représentation d'élèves de familles immigrantes. Dans les deux écoles, on a pu également noter un nombre assez élevé de francophones qui enseignent en anglais, donc qui n'enseignent pas exclusivement le français. La constatation est intéressante, puisque cette situation est fort peu courante dans les écoles de langue française en Ontario, où les enseignantes et les enseignants anglophones sont responsables des cours d'anglais, dans la grande majorité des cas.

Les techniques de recherche

Dans ces études ethnographiques, les trois techniques suivantes ont été utilisées : l'entretien semi-dirigé, l'observation et l'analyse documentaire. Cependant, l'étude a également eu recours au début à l'analyse quantitative basée sur un court sondage qui a permis, dans un premier temps, d'obtenir des données factuelles sur les activités des adolescents et des adolescentes et sur la langue dans laquelle se déroulent ces activités. Près de 500 élèves ont participé à ce sondage. C'est à partir des résultats de ce sondage que le choix des élèves s'est effectué pour le volet ethnographique de l'étude. Au total, 20 jeunes ont été retenus, soit 10 pour chaque projet, à raison de cinq par école. Ce choix a été fait à partir des critères suivants : a) cinq élèves par école ; b) un nombre égal de garçons et de filles ; c) au moins un des parents ou tuteurs ou tutrices ayant le français comme langue maternelle en Ontario et l'anglais comme langue maternelle au Québec ; d) que l'élève ne soit pas enfant unique ; et e) une représentation proportionnelle d'élèves ayant répondu à une question du sondage portant sur la façon dont ils et elles se situent sur le plan identitaire : soit comme francophones, bilingues, trilingues ou anglophones. Des jeunes choisis, 16 ont terminé les deux études – huit dans chaque province.

L'analyse des résultats a permis, dans un premier temps, de tracer les portraits identitaires de ces 16 adolescents et adolescentes. L'analyse qualitative se prête bien à une telle démarche puisque le rapport à l'identité et ses représentations auprès des jeunes ne peuvent être véritablement examinés que dans le cadre d'une analyse qui donne la parole aux participants et aux participantes dans l'interprétation de leurs propres expériences de vie. La cueillette de données s'est effectuée pendant les trois années qu'ont duré les deux études. Cinq séjours d'une semaine chacun ont été effectués dans les écoles retenues, à raison de deux chercheurs par école, où nous avons fait des observations, des entretiens semi-dirigés, ainsi qu'une analyse des documents pertinents à la recherche en cours.

a) Les observations : les élèves choisis ont été observés dans leur milieu scolaire respectif afin d'examiner de près le type d'interactions sociales auxquelles ces derniers participent et de voir de quelle façon ces interactions influencent les propos tenus par les élèves sur leur appartenance linguistique et culturelle. Le type d'observation a été celui de l'observateur ou de l'observatrice qui participe (mieux connue en anglais sous le nom de *observer-as-participant*), c'est-à-dire que le rôle de chercheur était connu des élèves et que c'est à ce titre que la participation aux activités du milieu s'est tenue. Un total de 215 journées d'observation ont été effectuées – 110 en Ontario et 105 au Québec, pendant lesquelles nous avons suivi les élèves dans les salles de cours, à la cafétéria, dans les corridors et dans les lieux où se tenaient les activités parascolaires.

b) Les entretiens semi-dirigés : l'étude a privilégié ce type d'entretien, parce qu'il permet une certaine flexibilité lors de la cueillette des données. Bien qu'une grille d'entretien soit préparée à l'avance, le chercheur ou la chercheure n'est pas limité à celle-ci. Cette forme d'entretien permet, par exemple, de poser des questions supplémentaires si l'occasion se présente, ce qui peut donner comme résultat une information plus riche lors de l'analyse des données. Le chercheur ou la chercheure souffre de contraintes moins grandes que dans le cas d'un entretien dirigé, où il faut s'en tenir aux questions déjà formulées. Un total de 228 entretiens ont été réalisés au cours de l'étude – soit 115 en Ontario et 113 au Québec. Ces entretiens ont porté sur des sujets tels que l'école, les habitudes langagières, les amies et amis, la langue et la culture, la participation à certaines associations, etc. Ont participé à ces entretiens les élèves choisis (à six reprises), leurs parents, leurs frères et sœurs, leurs amis et amies, le personnel enseignant et le personnel de direction des écoles fréquentées par ces jeunes.

c) L'analyse documentaire : ont été examinés les documents qui pouvaient être utiles pour comprendre le contexte des deux études. Cette analyse a porté, en grande partie, sur l'information décrivant les écoles que fréquentaient les jeunes participants et participantes.

De plus, les élèves des deux études ont pris part à une rencontre commune dont le sujet a porté sur la question du rapport à l'identité. L'occasion a aussi permis aux jeunes de réfléchir sur leur participation à la recherche et de discuter de l'impact possible de cette participation sur la façon dont ils et elles conçoivent à présent leur rapport à l'identité.

Enfin, un dernier entretien de groupe s'est ajouté au cours de la troisième année du projet tenu au Québec. Cette rencontre a réuni divers intervenantes et intervenants anglophones du monde de l'éducation et a porté sur les enjeux et sur le rôle de l'école de langue anglaise au Québec (Pilote, Bolduc et Gérin-Lajoie, 2008).

Maintenant que les deux études ont été brièvement décrites, le reste de l'article sera consacré à l'examen de certains résultats obtenus.

Discussion des résultats

Jusqu'à présent, l'analyse comparative permet de conclure que, dans les deux milieux : 1) les élèves disent posséder une identité bilingue et souvent trilingue, où l'influence directe de la langue de la majorité à l'école varie selon la province et même selon l'école ; 2) le discours officiel portant sur le mandat de l'école diffère d'une province à l'autre ; et 3) l'école francophone en Ontario est un agent de régulation linguistique, alors que cela ne semble pas être le cas dans le contexte de l'école anglophone au Québec.

Ces résultats montrent des réalités sociales et scolaires différente pour les deux groupes linguistiques, indiquant ainsi des rapports de force particuliers chez ces deux communautés linguistiques face à leur majorité respective. Ces différences sont fortement influencées par le contexte historique, politique et économique dans lequel les deux communautés de langue officielle ont évolué au fil des ans. Je reviendrai sur cette constatation un peu plus loin. Mais d'abord, examinons brièvement, les résultats obtenus jusqu'à maintenant.

Une identité bilingue, sinon trilingue, où l'influence de la langue majoritaire varie

Dans les deux provinces, les élèves qui ont participé aux études disent posséder une identité bilingue et, dans plusieurs cas, ils parlent même d'une identité trilingue. Roger Bernard reconnaissait déjà, à la fin des années 1990, cette nouvelle forme identitaire parmi les francophones de l'Ontario et en parlait en ces termes :

> L'ampleur du phénomène montre très bien que la double appartenance linguistique est en train de prendre forme et qu'il ne s'agit plus d'une réalité marginale. Cette bilingualité fait partie de la francophonie ontarienne. [...] Il ne s'agit pas d'un dualisme communautaire, mais d'une nouvelle forme de bilinguisme et de biculturalisme individuel à l'intérieur même de la francophonie canadienne (1998 : 82).

En Ontario, c'est plus de la moitié des élèves, alors que dans le cas du Québec, c'est près de la moitié des élèves ayant participé au sondage qui disent posséder une identité bilingue. En ce qui concerne l'identité trilingue, ce sont les élèves qui fréquentent les écoles anglophones au

Québec qui en font le plus mention, soit dans une proportion de plus de 50 % (dans une des deux écoles, c'est près de 70 % des élèves qui font référence à des origines italiennes). En Ontario, on retrouve également des élèves qui se réclament d'une identité trilingue, mais dans une proportion plus faible cependant. C'est surtout le cas dans la région de Toronto (Gérin-Lajoie, 2003).

De tels résultats pourraient ainsi porter à croire, comme certaines études quantitatives (Bernard, 1998 ; Castonguay, 1999) ont tenté de le montrer, que ces jeunes vont éventuellement s'assimiler au groupe majoritaire de la province où ils habitent. Or les résultats des deux études ethnographiques montrent sans l'ombre d'un doute que les questions liées au rapport à l'identité se révèlent plus complexes que ne le prétendent les études quantitatives qui en traitent. Premièrement, une identité bilingue, si on prend par exemple cette notion, ne veut pas nécessairement dire l'absence d'un sens d'appartenance à la minorité linguistique. Plusieurs témoignages parmi les jeunes le soulignent d'ailleurs, en particulier en Ontario, où la langue minoritaire est de plus en plus fragilisée. Comme en témoigne Annie, une élève de la région de Toronto, qui nous a dit posséder une identité bilingue :

> Ça [la langue française] fait partie de ma culture, puis je tiens à la garder. Ça m'insulte vraiment quand il y a du monde qui viennent insulter ma langue, parce qu'ils n'insultent pas seulement ma langue, c'est moi qu'ils insultent. Comme la Saint-Jean-Baptiste, des choses comme ça, ça fait partie de ma vie. Je vais voir des pièces de théâtre en français, je vais essayer d'incorporer dans ma vie le français.

Les autres élèves que nous avons suivis en Ontario, à une exception près, ont tous dit avoir un sens d'appartenance à la francophonie, même si son intensité varie selon les élèves interrogés. Pour ces derniers, cependant, même avec un sens d'appartenance à la francophonie à toute épreuve, il demeure presque impossible de vivre uniquement en français dans leur milieu, étant donné le manque de services en français et la difficulté à trouver des activités dans cette langue.

Au Québec, la situation se présente différemment. Il est plus facile de vivre en anglais dans la région de Montréal, phénomène que l'on peut expliquer sans doute par la présence d'une infrastructure institutionnelle plus développée que celle que l'on trouve en Ontario. Par exemple, il est facile d'aller voir des films en anglais dans les cinémas montréalais ou de trouver des disques ou des livres en anglais dans les magasins. Les jeunes peuvent donc pratiquer des activités dans leur langue plus facilement que les francophones de l'Ontario, qui ne jouissent pas d'un accès aussi grand au marché francophone, à moins de se rendre fréquemment au Québec. Cette question sur le manque de services en français a d'ailleurs été notée lors de l'analyse des données de la première étude ethnographique (Gérin-Lajoie, 2003).

Il semble que, dans la région de Montréal, la menace de l'assimilation au groupe majoritaire soit moins présente qu'en Ontario, même si les jeunes disent posséder, eux aussi, une identité bilingue. Par exemple, les élèves qui fréquentent l'école située sur l'île de Montréal montrent un solide rapport au groupe anglophone, rapport qui se traduit par des pratiques langagières où domine l'anglais. On utilise le français quand c'est nécessaire, car on peut le parler, mais celui-ci ne représente pas la langue d'usage des jeunes. De plus, comme l'ont mentionné plusieurs jeunes, l'anglais est considéré comme la langue privilégiée à travers le monde, ce qui lui donne un prestige et un pouvoir que le français ne possède pas et à laquelle il est facile de s'identifier. Comme l'explique Derek :

> Of course, you understand a language (French) which is spoken in a few countries. Anywhere else, this is not going to help you. English is almost universal, it's basically universally recognized. Any tourist that goes that speaks English is the language they get to everywhere. So in Ontario, they speak French the bit of a benefit if you want to go to Quebec or you know maybe to a small French city or town. But if you want to go to the States, French won't help you it's English that's going to help you, and you're living in an English area so, it's beneficial to English over French [2].

Sur la Rive-Sud de Montréal, où une grande proportion des élèves vivent dans des familles où le français et l'anglais se côtoient, la situation est davantage comparable à celle des jeunes en Ontario. On entend, en effet, beaucoup la langue majoritaire à l'école. Les témoignages des élèves qui ont participé à l'étude montrent que, dans la majorité des cas, ils sont aussi à l'aise en français qu'en anglais. À l'exception d'une participante, dont les deux parents sont anglophones, les élèves de ce groupe passent facilement d'une langue à l'autre et évoluent dans un environnement familial où les deux langues officielles sont également utilisées.

Un mandat officiel de l'école qui diffère d'une province à l'autre

L'analyse documentaire effectuée dans les deux études montre des différences notables dans le discours officiel sur le rôle de l'école dans les communautés de langue officielle au Canada. Par exemple, en Ontario, un des mandats de l'école est de contribuer au maintien de la langue et de la culture françaises. Une politique d'aménagement linguistique, adoptée en 2004, vient d'ailleurs s'assurer que les écoles mettent en place des mécanismes précis pour répondre à ce mandat. L'énoncé de politique se lit comme suit :

> La spécificité de l'école de langue française réside dans sa mission qui est à la fois d'éduquer les élèves qui la fréquentent et de protéger, de valoriser et de transmettre la langue et la culture de la communauté qu'elle dessert. La protection, la valorisation et la transmission de la langue et de la culture sont explicitées par son mandat (Ontario. Ministère de l'Éducation et de la Formation, 2004 : 7).

Dans cette même politique, le ministère de l'Éducation de l'Ontario consacre une section complète à l'identité. Intitulée « Axe de la construction identitaire », cette section met l'accent, entre autres, sur le rôle particulier que joue l'école à titre d'agent de reproduction culturelle.

> Cet axe reflète la spécificité de l'école de langue française et se rapporte donc aux interventions centrées sur l'appropriation de la culture [...] L'école de langue française sert [...] de milieu privilégié d'appropriation de la culture [...] (p. 49).

De leur côté, les documents officiels publiés par le ministère de l'Éducation du Québec ne révèlent rien de semblable en ce qui concerne ce rôle particulier dans les écoles de langue anglaise. La préoccupation de contribuer au maintien de la langue et de la culture minoritaires n'est pas présente dans le discours officiel. Comme l'a indiqué clairement un administrateur d'une commission scolaire, lors de la tenue d'une table ronde dans la région de Montréal portant sur les enjeux associés à l'éducation de langue anglaise au Québec (Pilote, Bolduc et Gérin-Lajoie, 2008) : « *We have a mandate from the Ministry of Education which is to socialize, to instruct and to qualify, not to protect the culture[3]. »*

La différence en ce qui a trait au mandat de l'école dans ces deux communautés de langue officielle est intéressante dans la mesure où elle montre des positionnements différents entre ces deux minorités face à la majorité de leur province respective. Nous sommes, en effet, en présence de rapports de force distincts. Dans le cas de l'Ontario, on mise beaucoup sur l'école pour le maintien de la langue et de la culture minoritaires, car elle représente en quelque sorte la seule institution en mesure de le faire, étant donné que peu de services en français sont mis à la disposition des francophones. Au Québec, le discours officiel ne soulève aucunement cette question, puisque l'école ne représente pas la seule institution disponible pour les anglophones. Par conséquent, le rôle de l'école est axé sur la transmission des connaissances et sur la socialisation des élèves.

On peut tenter d'expliquer cette différence en ce qui concerne la mission de l'école en faisant ici un bref rappel historique. Les anglophones vivant dans la région de Montréal se sont créé un milieu de vie où ils bénéficient de tous les services nécessaires pour pouvoir vivre en anglais dans leur vie quotidienne. Dans plusieurs cas, les anglophones n'ont pas besoin de recourir au français ni d'établir des contacts étroits avec les francophones. En effet, historiquement, la situation politique et économique du Québec a fait en sorte que les anglophones ont toujours joui d'une solide infrastructure institutionnelle telle que des écoles, des hôpitaux, etc. Même si en termes de nombre, ils constituaient une minorité à cette époque, nul ne pouvait dénier leur pouvoir politique et économique. À partir de la Révolution tranquille, les choses ont cependant commencé à changer. Avec la venue du Parti québécois au pouvoir en 1976, les francophones ont alors repris une certaine maîtrise de la sphère publique. Il n'en reste pas moins que la minorité anglophone peut encore s'appuyer sur un grand nombre d'institutions qui contribuent à son maintien et à son développement, ce qui n'est pas le cas pour les francophones de l'Ontario, de façon générale. De plus, le prestige et le pouvoir associés à l'anglais à travers le monde, surtout dans le domaine des échanges économiques, lui donne une plus grande valeur marchande que le français. La langue anglaise, considérée comme « universelle », ne possède pas qu'une simple valeur symbolique, puisqu'elle représente le pouvoir, tant politique qu'économique. Le contexte historique du Québec et la situation de l'anglais dans le monde ne peuvent donc que renforcer son usage dans les communautés anglophones au Québec, et particulièrement dans la région de Montréal, où les anglophones se comptent en plus grand nombre.

En Ontario, la situation est différente. Dans plusieurs régions de la province, l'école demeure, en très grande partie, la seule institution francophone. Dans ce contexte, le danger de l'assimilation au groupe majoritaire anglophone est davantage présent. La question de l'assimilation est en fait au cœur même des préoccupations de la classe dirigeante francophone, alors que cela ne semble pas être le cas pour les anglophones de la région de Montréal. Comme l'a d'ailleurs mentionné une représentante d'une commission scolaire lors de la table ronde :

> The Anglophone community, for the most part in Quebec, I know there are exceptions, but for the most part, don't feel the same threat [as the Francophone minority outside Quebec]. Maybe it's because we live, I think it's because we live in such an international society in the North American context where English has such prominence. There is not the same fear, the same fear of loss. And I think you see it by people in schools, that (if) they are speaking French, there isn't the same fear that if you don't speak English and if you happen to speak French that somehow your culture and your language are threatened[4].

D'après les participantes et les participants interrogés, la préoccupation centrale est de favoriser l'insertion des jeunes des écoles de langue anglaise au monde du travail. Pour ce faire, on insiste auprès de ces derniers sur l'importance de développer des compétences élevées en français dans le but d'être compétitifs sur le marché de l'emploi.

L'école, un agent de régulation linguistique

Les deux études ethnographiques ont aussi permis de constater que l'utilisation de la langue majoritaire par les élèves n'est pas perçue de la même façon dans les écoles des deux provinces. En Ontario, les élèves ne sont pas autorisés à parler une autre langue que le français à l'école, sous peine même de sanction dans certains cas. Dans cette province, la notion de « récompense et punition » est très présente dans la façon de gérer les pratiques langagières à l'école. Si on parle le français en tout temps, on bénéficie souvent de certains privilèges. Si on parle l'anglais, on risque d'être puni. Même si ces pratiques sont informelles, elles demeurent quand même assez courantes dans les écoles de la province. On peut aussi noter qu'on entend souvent le personnel des écoles ramener les élèves à l'ordre, que ce soit dans la salle de classe ou dans les corridors, en leur ordonnant de parler en français. On s'attend, ni plus ni moins, à ce que les élèves coiffent leur chapeau de « francophones » lorsqu'ils arrivent à l'école. Ce qui n'est pas toujours facile, surtout pour les élèves qui vivent dans un milieu social où l'anglais domine comme, par exemple, dans la région de Toronto. Tournons-nous vers Annie qui, malgré une forte appartenance à la francophonie, remet en question tout de même le rôle régulateur de l'école en matière de langue d'usage. En parlant du milieu de vie et des pratiques langagières des élèves, elle explique :

> Je l'entends partout [l'anglais] dans les rues, puis là, c'est comme, tu mets le pied dans l'école, tu es supposé parler tout de suite en français, puis ça complique les choses. Puis des fois, tu es tout mêlé, tu dis des mots en français, comme en franglais comme on dit, c'est difficile pour moi en tant que francophone [...].

Les élèves qui fréquentent les écoles de langue française en Ontario se retrouvent donc face à une réalité scolaire qui ne tient pas compte du contexte social dans lequel ils évoluent. Bref, selon le discours officiel, l'anglais demeure en quelque sorte « l'ennemi » à vaincre. L'école devient ainsi un agent de régulation linguistique, dont la mission est d'éliminer toute référence au groupe majoritaire anglophone.

Au Québec, l'approche est différente. À l'école située sur la Rive-Sud, par exemple, les jeunes interagissent en français autant qu'en anglais, mais on entend rarement les membres du personnel enseignant les ramener à l'ordre, comme c'est le cas en Ontario. On dit se sentir moins menacé par la langue majoritaire dans ce milieu. Comme l'explique un membre de l'administration d'une école :

> *Now we don't want to police the hallways. We feel that the students, when they're on break are on break and they are entitled to speak whatever language they choose. Not only English and French, but their mother tongue, whatever it [5].*

Les observations qui ont eu cours pendant les trois années de l'étude indiquent clairement que l'utilisation du français est tolérée, bien que la langue d'instruction demeure l'anglais. Que ce soit au secrétariat de l'école ou dans la salle des professeurs, il n'est pas rare d'entendre la langue majoritaire, même parmi le personnel enseignant et le personnel de soutien. Dans l'école de l'île de Montréal, la question de l'usage d'une langue autre que l'anglais ne semble même pas se poser. Les observations permettent, en effet, de conclure que l'anglais est la langue utilisée dans les salles de cours, tout comme dans les corridors, le gymnase ou la cafétéria. Même dans les cours de français régulier, les élèves ont tendance à interagir en anglais entre eux. On peut d'ailleurs noter de forts accents anglais lorsque ces derniers parlent en français. La situation se révèle donc bien différente de celle des écoles de langue française en Ontario. On peut aussi constater que même entre les deux écoles du Québec, il existe des différences importantes en ce qui a trait aux pratiques langagières des élèves.

Conclusion

L'analyse des résultats des deux études ethnographiques a permis, jusqu'ici, de mieux comprendre les milieux social, linguistique et culturel dans lesquels évoluent les jeunes participantes et participants. En Ontario, il semble que les pratiques sociales et langagières soient fortement influencées par le contexte anglophone dominant, même si cette influence varie selon les jeunes et selon l'école. Ces derniers vivent souvent davantage en anglais, soit par choix, soit par nécessité. Chez les jeunes anglophones fréquentant l'école de l'île de Montréal, le même phénomène ne semble pas exister en ce qui concerne le français. En effet, d'après les propos tenus et les observations effectuées, il semble que ces jeunes vivent majoritairement en anglais, même s'ils ont parfois recours au français en cas de nécessité, comme dans les magasins, par exemple. Pour ce qui est des jeunes de la Rive-Sud, aucune langue ne semble dominer dans les pratiques langagières observées, et l'anglais n'est pas perçu comme une langue minoritaire dans les propos des jeunes.

D'avoir suivi ces deux groupes de jeunes pendant quelques années a permis de réfléchir davantage à la question du rapport à l'identité et, particulièrement, à la notion d'identité bilingue en me permettant de décortiquer ce concept de façon à en saisir mieux la complexité. La présente analyse comparative, même dans sa forme préliminaire, donne de claires indications quant à l'existence d'un rapport à l'identité qui est loin d'être linéaire, comme le montre la préférence des jeunes qui ont participé aux deux études à parler d'une identité à tout le moins bilingue. Les données ethnographiques m'ont aussi permis de constater la complexité de la question, que ce soit à partir d'une comparaison entre les deux provinces, ou même entre les écoles d'une même province. Le rapport à la langue et à la culture varie d'un milieu à l'autre, m'amenant ainsi à me questionner davantage sur les rapports de force dans lesquels s'inscrivent les pratiques sociales, linguistiques et culturelles des jeunes observés.

L'analyse comparative m'a aussi fait comprendre que, même dans un contexte social où deux groupes linguistiques sont reconnus à titre de communautés de langue officielle, les pratiques sociales sont imbriquées dans des rapports de force qui peuvent privilégier un groupe en particulier – comme cela semble être le cas des anglophones au Québec. Ceux-ci, même s'ils vivent au Québec, ont la possibilité de s'identifier à une majorité anglophone forte sur le plan politique et économique, au Canada comme ailleurs dans le monde, ce qui les différencie de la minorité francophone qui vit à l'extérieur du Québec. Cette différence s'explique en grande partie par un nombre relativement peu élevé de francophones au Canada et dans le monde et par un pouvoir politique et économique bien inférieur à celui des anglophones.

Jusqu'à maintenant, l'examen des pratiques des élèves qui ont participé aux deux études montre assez clairement que la langue minoritaire ne possède pas le même statut dans les deux provinces. En effet, ce que l'on peut constater dans les écoles de langue anglaise, et surtout dans le discours officiel, c'est que le français ne semble pas représenter une menace pour la survie de la minorité anglophone, du moins dans la région de Montréal. Le discours officiel ne mentionne aucunement le besoin de l'école de langue anglaise de contribuer au maintien de la langue et de la culture minoritaires. Ce résultat, qui peut peut-être surprendre, montre sans contredit l'existence de différences importantes dans la réalité sociale des deux communautés de langue officielle au Canada. On peut aussi noter que les élèves, même s'ils se réclament d'une identité bilingue, ont des parcours identitaires très diversifiés et vivent une réalité sociale et scolaire qui varie grandement selon la province de résidence.

La prochaine étape de l'analyse comparative en cours sera d'examiner de plus près l'évolution du système scolaire de langue anglaise au Québec depuis l'avènement de la loi 101 en 1977. Il semble, en effet, important de situer les enjeux de société et les rapports de force existants afin d'en mieux comprendre l'impact sur le système scolaire, surtout en ce qui a trait à son rôle auprès des communautés anglophones dans cette province. Cette analyse à caractère plus historique permettra ainsi de poser un regard comparatif sur les réalités québécoise et ontarienne et favorisera, je l'espère, une plus grande compréhension des enjeux actuels liés au développement du rapport à l'identité des jeunes qui fréquentent les écoles de la minorité.

NOTES

1. Les deux études ont été subventionnées par le Conseil de recherches en sciences humaines du Canada, dans le cadre de son programme de subventions ordinaires de recherche. Je tiens à remercier les assistants de recherche suivants : pour l'étude effectuée en Ontario, Sylvie Roy et Douglas Gosse ; pour l'étude en cours au Québec, Christine Lenouvel et Steven Hales.

2. « Bien sûr, tu comprends une langue [le français] qui est parlée dans quelques pays. Ailleurs, cela ne va pas t'aider. L'anglais est une langue pratiquement universelle, c'est la langue qui t'ouvre toutes les portes. Donc, le seul avantage de pouvoir parler français en Ontario, c'est si on veut venir au Québec. Mais si tu veux aller aux États-Unis, le français ne t'aidera pas, c'est l'anglais qu'il faut savoir. » (Nous traduisons.)

3. « Nous avons un mandat dicté par le ministère de l'Éducation, qui est de socialiser, d'instruire – pas de protéger la culture. » (Nous traduisons.)

4. « La communauté anglophone du Québec ne ressent pas, à quelques exceptions près, la même menace que la minorité francophone à l'extérieur du Québec. C'est peut-être parce que nous vivons dans une société nord-américaine où l'anglais tient une place prépondérante, personne ne peut nier cela [...] Quand des élèves qui fréquentent les écoles anglophones interagissent dans les deux langues, on ne ressent pas

la peur que s'ils ne parlent pas en anglais, leur langue et leur culture se trouveront menacées. » (Nous traduisons.)

5. « Nous ne voulons pas faire la police dans les corridors. On est de l'avis que, lorsque les élèves prennent leur pause, qu'ils ont le droit de parler la langue qu'ils veulent. Pas seulement le français ou l'anglais, mais également leur langue maternelle, peu importe ce qu'elle est. » (Nous traduisons.)

BIBLIOGRAPHIE

BARTH, Frederik (1969). *Ethnic Groups and Bounderies*, Boston, Little, Brown & Cie.

BERNARD, Roger (1998). *Le Canada français: entre mythe et utopie*, Ottawa, Le Nordir.

BOISONNEAULT, Julie (1996). « Bilingue / francophone, Franco-Ontarien, Canadien français: choix des marques d'identification chez les étudiants francophones », *Revue du Nouvel-Ontario*, n° 20, p. 173-193.

BRETON, Raymond (1968). « Institutional Completeness of Ethnic Communities and the Personal Relations of Immigrants », dans Bernard R. Blishen (dir.), *Canadian Society: Sociological Perspectives*, Toronto, MacMillan du Canada, p. 77-94.

BRETON, Raymond (1983). « The Production and Allocation of Symbolic Resources: an Analysis of the Linguistic and Ethnocultural Fields in Canada », *The Canadian Review of Sociology and Anthropology = Revue canadienne de sociologie et d'anthropologie*, vol. 21, n° 2, p. 123-144.

BRETON, Raymond (1994). « Modalités d'appartenance aux francophonies minoritaires: essai de typologie », *Sociologie et sociétés*, vol. 26, n° 1 (printemps), p. 59-69.

CARDINAL, Linda (1994). « Ruptures et fragmentations de l'identité francophone en milieu minoritaire: un bilan critique », *Sociologie et sociétés*, vol. 26, n° 1 (printemps), p. 71-86.

CASTONGUAY, Charles (1999). « Évolution démographique des Franco-Ontariens entre 1971 et 1991, suivi d'un aperçu du recensement de 1996 », dans Normand Labrie et Gilles Forlot (dir.), *L'enjeu de la langue en Ontario français*, Sudbury, Édition Prise de parole, p. 15-32.

GÉRIN-LAJOIE, Diane (1997). « Le rôle de l'école de langue française située en milieu minoritaire », *Canadians Issues = Thèmes canadiens*, vol. 19, p. 95-105.

GÉRIN-LAJOIE, Diane (2001). « Identité bilingue et jeunes en milieu franco-phone minoritaire : un phénomène complexe », *Francophonies d'Amérique*, n° 12 (automne), p. 61-71.

GÉRIN-LAJOIE, Diane (2003). *Parcours identitaires de jeunes francophones en milieu minoritaire*, Sudbury, Éditions Prise de parole.

GÉRIN-LAJOIE, Diane (2006). « L'utilisation de l'ethnographie dans l'analyse du rapport à l'identité », *Éducation et Sociétés*, n° 17, p. 73-87.

GLASER, Basil, et Anselm STRAUSS (1967). *The Discovery of Grounded Theory: Strategies for Qualitative Research*, Chicago, Aldine.

GROSJEAN, François (1982). *Life with Two Languages: an Introduction to Bilingualism*, Cambridge, Harvard University Press.

HELLER, Monica (1994). « La sociolinguistique et l'éducation franco-ontarienne », *Sociologie et sociétés*, vol. 26, n° 1 (printemps), p. 155-166.

HELLER, Monica (1999). *Linguistic Minorities and Modernity: a Sociolinguistic Ethnography*, New York, Longman.

JUTEAU, Danielle (1999). *L'ethnicité et ses frontières*, Montréal, Les Presses de l'Université de Montréal.

LAMARRE, Patricia, *et al.* (2002). « Multilingual Montreal: Listening in on the Language Practices of Young Montrealers », *Canadian Ethnic Studies*, vol. 34, n° 3, p. 47-75.

ONTARIO. MINISTÈRE DE L'ÉDUCATION ET DE LA FORMATION (2004). *Politique d'aménagement linguistique pour l'éducation en langue française*, Toronto, Imprimeur de la Reine.

ONTARIO. OFFICE DES AFFAIRES FRANCOPHONES (2005). *Les francophones en Ontario : profil statistique*, Toronto, Gouvernement de l'Ontario.

PILOTE, Annie, Sandra BOLDUC et Diane GÉRIN-LAJOIE (2008). *L'école de langue anglaise au Québec: bilan des connaissances et nouveaux enjeux – Phase 2 : compte rendu des tables rondes des régions de Québec et de Montréal*, Moncton, Institut canadien de recherche sur les minorités linguistiques.

L'Acadie de la diversité chez le militant acadien d'ici et l'immigrant francophone venu d'ailleurs : contradictions et convergences dans les représentations d'une identité commune

Isabelle VIOLETTE
Université de Moncton
Christophe TRAISNEL
Université de Moncton

> Dans le panorama actuel du monde,
> une grande question est celle-ci :
> comment être soi sans se fermer à l'autre,
> et comment s'ouvrir à l'autre sans se perdre soi-même ?
> ÉDOUARD GLISSANT

Depuis une quinzaine d'années, les principales préoccupations en sciences humaines et sociales gravitent autour des phénomènes rattachés à la mondialisation ainsi qu'à la modernité et ses dérivés hyper, ultra et postmodernité (Lipovetsky, 1983 ; 2004), en portant une attention particulière aux reconfigurations sociopolitiques qui ébranlent l'État-nation. L'ouvrage d'Arjun Appadurai *Après le colonialisme : les conséquences culturelles de la globalisation* (2001) constitue un exemple éloquent de cette ère intellectuelle marquée par la remise en question de l'État-nation. Il va sans dire que la mobilité accrue des individus à l'échelle planétaire, les mouvements massifs de populations immigrantes, les communications de masse ainsi que les nouvelles technologies permettent la mise en place d'espaces et de réseaux transnationaux qui fragilisent dans une certaine mesure les États contemporains (Lessard, 2007), qui ne constituent désormais qu'un espace parmi d'autres, le politique étant largement multiscalaire (Nootens, 2004). En outre, l'immigration est devenue le point nodal de ces transformations en forçant la réflexion sur le rapport à l'autre, c'est-à-dire quant au modèle à adopter en ce qui a trait à l'intégration nationale et aux formations des identités nationales (Lapeyronnie, 1993 ; Noiriel, 2001 ; Schnapper, 2003 ; Rousseau, 2006). De plus, selon Will Kymlicka ([1994] 2007), on peut constater depuis une quarantaine

d'années une tendance vers l'internationalisation du multicultura-
lisme : le modèle assimilationniste est de plus en plus fortement décrié
tout comme l'idéologie homogénéisante des États-nations au profit de
modèles multiculturels de l'État et de la citoyenneté. Ce sont donc les
rapports entre l'État et ses minorités qui tendent à être complètement
redéfinis.

Dans le contexte qui nous intéresse, celui des communautés de
langue française en situation minoritaire au Canada, l'immigration
constitue indéniablement un enjeu complexe. Ces communautés se
trouvent, en effet, tout à la fois sous les feux de la mondialisation et de
ses effets plus ou moins délétères qui touchent toutes les petites communautés, mais également dans une démarche de renégociation de
leurs rapports avec l'État canadien. Tel que Nasser Baccouche l'a relevé
il y en 1997, l'immigration peut être théorisée comme un analyseur de
dynamiques nationales mais également, comme nous serons amenés à
l'illustrer, de dynamiques minoritaires. En témoignent les diverses
recherches consacrées à cette problématique, qui s'interrogent sur les
conséquences de cette diversification culturelle de la population
francophone sur les modalités d'appartenance à « la » communauté
(Violette et Boudreau, 2008 ; Traisnel et Violette, 2010 ; Belkhodja,
2008 ; Gallant, 2007 ; Madibbo, 2003 ; Madibbo et Maury, 2001).
Notre propos s'inscrit dans une telle démarche réflexive. Cependant, il
portera plus précisément sur l'Acadie du Nouveau-Brunswick, qui participe justement à ce mouvement de redéfinition identitaire à travers la
réinterprétation de son histoire, de la place de la langue française, du
territoire et de la gouvernance. Nous chercherons à voir comment
s'articule, dans les discours identitaires en Acadie, l'ouverture *de facto*
de la communauté acadienne « d'ici » à la francophonie « venue d'ailleurs » : quel impact cette mise en contact produit-elle sur les représentations identitaires des francophones d'ici et d'ailleurs ?

Pour ce faire, nous proposons un portrait croisé et une comparaison de deux groupes qui, de par leur positionnement, peuvent
refléter ces changements de représentations au sein de l'Acadie du
Nouveau-Brunswick, à savoir les militants acadiens et les immigrants
francophones. En effet, les militants acadiens, de par leur rôle de
« définiteurs identitaires », sont amenés à réactualiser un discours
public sur l'acadianité et se trouvent souvent au premier rang dans le
travail de réinterprétation identitaire. Les immigrants francophones,
quant à eux, font surgir les mécanismes d'inclusion et d'exclusion

constitutifs de cette acadianité problématique. En effet, « si l'immi-gration dérange, c'est qu'elle interroge l'identité nationale en même temps qu'elle sème le doute sur les certitudes et la légitimité des mythes fondateurs de cette identité » (Baccouche, 1997 : 19). Il est donc pertinent de mettre leurs discours en perspective afin de saisir les points de convergence ou, au contraire, de divergence potentiels dans ce travail, permanent, de définition et de redéfinition des identités qui touche directement la communauté constituée par les francophones d'Acadie du Nouveau-Brunswick. Devant les observations soulevées un peu plus haut, il devient primordial d'examiner sur le terrain, en milieu minoritaire, comment sont négociés et comment sont repré-sentés les rapports intergroupes en termes de légitimité et/ou de conflit politiques et identitaires.

Cette étude s'appuie sur une approche interprétative et qualitative reposant sur l'expression par les acteurs sociaux d'un certain sens donné au monde qui les entoure à travers leur production de discours. En effet, le discours est envisagé comme pratique sociale puisque, d'une part, il s'inscrit dans un contexte de production idéologique et, d'autre part, il transforme le monde vécu en réalités culturellement et socialement significatives (Blommaert, 2005). Selon cette approche, la « réalité » n'existerait donc pas indépendamment des êtres humains, mais plutôt par l'entremise des représentations qu'ils en ont. Par consé-quent, ayant comme prémisse que « [...] *language contains the concepts, categories and ontologies that describe and constitute the world in which we live in*[1] » (Gibbs, 2002 : 1), le chercheur est amené à concevoir son rôle et son travail comme l'interprétation des représentations sociales d'acteurs sociaux. Nous avons donc mené 24 entretiens semi-dirigés, également répartis entre des militants acadiens et des immigrants francophones en fonction de deux guides d'entretiens dont les thèmes, bien qu'abordés de manière ouverte, avaient préalablement été établis. La méthodologie sera précisée davantage au moment où l'analyse discursive de chacun des deux groupes sera abordée.

Notre propos s'organisera en trois parties. Dans la première, il sera question de caractériser, à travers le discours d'acteurs du mouvement acadien, la manière dont les « francophones d'ici » se représentent les « francophones venus d'ailleurs ». Dans la deuxième partie, le même exercice sera inversement accompli, c'est-à-dire en analysant comment « les francophones venus d'ailleurs » perçoivent les « francophones d'ici ». Par ce portrait croisé, il s'agira, dans une troisième partie, de rendre compte du terrain d'entente identitaire qui semble se dessiner à travers la définition d'une « Acadie de la diversité » au Nouveau-Brunswick.

La parole de l'Acadien d'ici par rapport au francophone venu d'ailleurs : la focale des ambivalences identitaires et une vision instrumentale de l'immigration

Avant d'aborder les discours des interlocuteurs acadiens sur l'immigration, il convient d'expliciter l'approche théorique et épisté-mologique que nous avons adoptée pour mener notre recherche. Sans entrer dans le clivage entre les approches « authentiques » et les appro-ches « constructivistes » des identités collectives, on peut dire qu'une identité collective est caractérisée par une construction permanente d'un rapport entre un « nous » et divers « eux », ce rapport se renégo-ciant et se redéfinissant sans cesse à travers le travail discursif des divers acteurs politiques et sociaux, mais également en fonction des attributs culturels, historiques, politiques habituellement prêtés à la définition de chaque groupe (Noiriel : 2001). En d'autres mots, les identités collectives sont construites, à travers un travail politique de représen-tations, certes, mais cette construction ne se fait pas *in abstracto*. Elle se trouve encadrée, contrainte par la manière dont, par le passé, on interprétait cette identité. En somme, dans le travail de construction ou de reconstruction identitaire, le « savoir-faire » et la tradition ont un certain rôle à jouer, et l'histoire n'est pas dépourvue de sens : c'est celui qu'on lui a donné par le passé et qu'on veut bien encore lui accorder maintenant. Pour mieux cerner le discours sur la diversité et l'immigration et voir comment il s'agence à celui sur l'identité aca-dienne, nous avons cherché à recueillir un ensemble de « paroles de militants ». Nous avons donc réalisé une douzaine d'entretiens avec des personnes impliquées à titres divers dans le mouvement acadien dans des domaines professionnels aussi variés que la culture, les jeunes, l'éducation, les municipalités, les syndicats, la politique, etc. On y retrouve des personnes âgées de 19 ans à plus de 60 ans. Seulement une femme fait partie du corpus, un écart auquel nous souhaiterions remédier dans la suite du projet. Il est sans doute important de souli-gner que la catégorie « militant » est à entendre dans son sens large comme un individu qui, de par son travail, ses actions, son engage-ment, appuie la cause acadienne, notamment en contribuant au déve-loppement social, politique et culturel de la communauté. En somme, il s'agit de ce que Joseph Yvon Thériault appelle les « faiseurs d'acadianité » (Thériault, 1995). Pour ce faire, nous avons constitué un guide d'entretiens portant sur l'identité acadienne. Il est également important de noter que nous n'avons pas cherché à imposer à nos interlocuteurs le thème de la diversité ni celui de l'immigration, de manière à voir si ces thématiques allaient être abordées spontanément dans le cadre d'un entretien portant plus globalement sur l'identité acadienne. Nous n'abordons ces thèmes qu'en fin d'entretien lorsque cette question n'avait pas été soulevée par le participant lui-même.

Traits saillants dans le discours sur la diversité et l'immigration

Quelle est donc la place du « francophone venu d'ailleurs » dans le discours identitaire des militants acadiens ? Quel « portrait » du thème de la diversité et de l'immigration ressort de ces discours suscités sur l'identité acadienne ? Sans pour autant généraliser, nous avons été en mesure de faire ressortir trois traits de discours significatifs qui caractérisent fortement nos entretiens. Tout d'abord, le thème de l'immigration francophone et de la diversité qui y est rattaché a rarement émergé de lui-même alors que, d'une part, la langue française occupe une place centrale dans la définition de l'acadianité et que, d'autre part, rappelons-le, l'identité acadienne était l'objet de l'entretien. Chaque interlocuteur a pourtant une opinion sur ces questions et propose, spontanément ou non, un agencement entre « francophonie venue d'ailleurs » et « francophonie d'ici ». Mais celle-ci semble moins faire partie de l'expérience identitaire, plus intime, de nos interlocuteurs que de leurs réflexions identitaires, plus abstraites. De plus, la pluralité la plus spontanément évoquée n'est pas celle que l'on serait tenté de croire de prime abord. Au-delà de la diversité culturelle issue des processus d'immigration, touchant surtout (mais pas seulement) la région du Grand Moncton, la diversité évoquée est avant tout celle des différences régionales. Il s'agit donc d'une diversité acadienne tenant au *territoire d'abord*, aux lieux de l'Acadie. Par ailleurs, tous les entretiens sont marqués par une forme d'ambivalence identitaire : il n'y a pas, d'un côté, les discours « civiques » et, de l'autre, les discours « ethniques » [2]. En effet, chose intéressante, l'authenticité identitaire côtoie une volonté d'ouverture à l'Autre dans chaque entretien, et chaque interlocuteur tente d'agencer l'un et l'autre en donnant son interprétation de l'identité acadienne. Comment se fait cet agencement ? Conformément aux mouvements qu'on peut constater dans la société acadienne, en particulier à Moncton (avec le travail de la Société d'Acadie du Nouveau-Brunswick et la création du Centre d'accueil et d'intégration des immigrants du Moncton métropolitain, le CAIIMM), il semble y avoir un réel effort pour arrimer Acadie et immigration francophone au sein même du discours identitaire acadien, mais cet arrimage ne se fait pas sans ambiguïtés ni sans résistances. En fait, on constate une double reconnaissance de l'immigrant francophone qui est en apparence contradictoire. En effet, dans tous les entretiens, l'immigrant est à la fois présenté comme un Autre et comme un semblable: un Autre parce qu'il est venu d'ailleurs; un semblable parce qu'il est francophone, donc parce qu'il partage la même langue, celle autour de laquelle sont articulées les principales revendications de la communauté.

L'immigrant francophone : Autre parmi les autres

Les militants acadiens interviewés qualifient, certes, l'immigrant francophone comme un Autre, mais… pas un Autre comme les autres. Son altérité est équivoque car le principal « Autre » par rapport auquel on définit l'acadianité, c'est d'abord l'anglophone, le majoritaire, duquel émerge une conscience de minoritaire :

> Denis[3] : Déjà grandir à Moncton, ta conscientisation que tu es minoritaire, tu le vis rapidement, même si tu n'es pas sensibilisé à la notion du peuple ou des notions de drapeau, t'as une notion que tu parles une *autre*[4] langue et ton environnement est anglophone, donc *tu es autre*, minoritaire.

En dehors du majoritaire, l'immigrant francophone se trouve, comme tous les francophones, placé au sein d'une constellation d'altérités évoquées, qui viennent contribuer à définir les contours incertains d'une communauté acadienne malgré tout désignée. Le Québécois, le Franco-Ontarien, le Français « de France » se trouvent ainsi être ni totalement Autre ni totalement « nous ». L'immigrant vient du « horscadie », pour reprendre l'expression d'un participant à la recherche. Il est étrange en même temps qu'étranger; étrangeté attirante, cependant, à laquelle on souhaite s'ouvrir :

> Denis : Je crois que le dossier de l'immigration en Acadie, c'est à la fois de bonne foi, on veut s'ouvrir à l'*Autre*.

L'immigrant francophone comme partie du « nous »

À cette altérité particulière répond une autre ambiguïté, celle visant à désigner la place occupée par la diversité au sein même de la communauté acadienne. Cette diversité est d'ailleurs parfois présentée comme une des caractéristiques de l'identité acadienne. En effet, les interviewés établissent clairement que l'Acadie, et donc l'identité acadienne, n'a jamais été et n'est pas homogène et cela, à travers de multiples expressions telles que « guerre des Acadies » (Daniel), « l'Acadie, c'est plusieurs tribus » (Euclide), « on a plusieurs capitales en Acadie » (Bernard), « l'Acadie plurielle » (Euclide). Le « nous » est donc marqué par la diversité, une diversité à laquelle pourrait participer l'immigrant francophone, d'autant que ce dernier est considéré comme une opportunité pour une communauté acadienne dont la langue constitue un des éléments pivots d'appartenance. Les deux extraits suivants illustrent justement cette « valeur ajoutée » que peut constituer l'immigration :

1)   Denis : Et on a un besoin criant d'immigrants, un besoin criant de francophiles, on a un besoin criant que la population anglophone comprenne nos besoins et veule qu'on conserve notre langue aussi.

2)   Gilles : C'est certain aussi, c'est certain qu'en Acadie, naturellement, l'immigration devient un facteur important / [...] Je trouve que les immigrants s'ajustent beaucoup plus vite et même les Québécois qui viennent en Acadie ou ailleurs vont beaucoup accepter ou s'ajuster à la collectivité acadienne comme telle ou même l'identité acadienne que nos propres personnes ici [en faisant notamment référence au Nord-Ouest].

Dans les paroles des militants, l'identité acadienne est présentée comme très ouverte. Cette ouverture est même mentionnée par les participants les plus attachés à l'histoire acadienne et à la filiation comme marqueurs de l'identité acadienne contemporaine :

Euclide : Moi je dis est Acadien celui qui se définit comme tel :
« Te sens-tu Acadien, es-tu Acadien ?
Oui ?
Pas de problème. »

Et plus loin :

> Moi je veux dire, si j'avais de l'énergie à investir, je ferais revenir les gens qui veulent revenir, *qui sont déjà de souche d'ici*, qui *sont habitués* à vivre ici, qui *sont adaptés* à vivre ici.

Toutefois, ce passage marque également la présence d'un double discours qui, à notre sens, constitue réellement la particularité des positionnements identitaires des militants acadiens.

Dédoublement discursif : ambivalences identitaires

L'immigrant francophone semble ainsi être à la fois autre et à la fois partie prenante de la communauté acadienne. Cette place ambivalente qu'occupe l'immigrant francophone dans le discours sur l'identité acadienne pourrait être considérée comme le reflet d'une contradiction profonde ou d'une confusion quant à la définition des limites de la communauté. Or ce n'est pas notre interprétation. Cette ambivalence nous apparaît plutôt comme le reflet du processus classique d'interprétation et de réinterprétation des identités, en l'occurrence l'identité acadienne, au sein d'une société locale marquée par le pluralisme et le bilinguisme qui, comme l'histoire ou la culture, interviennent dans cette recomposition permanente des frontières identitaires. En fait, l'immigrant francophone n'est pas un autre comme les autres puisque sans être à l'extérieur, il n'est pas non plus totalement à l'intérieur de la communauté :

> Simon : Évidemment la question de sang, ça va toujours rester, si tu as du sang acadien. Mais de vouloir dire toi tu es Acadien, wo là, on commence à être Québécois *about it* là. [...] X [en faisant référence à un ami d'origine africaine], c'est un Acadien. Je veux dire il n'a pas le sang, c'est pas un Acadien comme ça mais... Si tu veux être Acadien dis-toi Acadien, ça fait quinze ans que tu es par ici puis que tu *chumes* avec des Acadiens, que tu donnes pour la communauté puis tout ça, dis-toi, appelle-toi Acadien [...] Tu es un adopté. Tu es d'ici, tu es d'ici.

L'immigrant semble donc constituer un paramètre nouveau à la lumière duquel il convient de réinterpréter les frontières du groupe. L'histoire comme la religion ne paraissent plus être les facteurs les plus commodes dans cette redéfinition. D'autres facteurs émergent des discours pour caractériser l'Acadie : non pas le territoire (le territoire acadien n'existe pas politiquement ni juridiquement parlant), ou l'histoire, mais la langue française et le lieu, l'Acadie « d'ici », comme l'illustre parfaitement la fin de la citation précédente : « Tu es un adopté. Tu es d'ici, tu es d'ici. » Ce lieu, cet « ici » est bien souvent évoqué de diverses manières par nos interlocuteurs. Il s'agit d'un « ici » désignant à la fois une Acadie historique et une Acadie contemporaine, un « lieu commun » en somme qui n'imposerait pas, dans sa désignation, un choix entre francophoniser le discours sur l'identité acadienne ou acadianiser le discours sur la francophonie :

> Manon : On parlait tantôt de diversité, moi définir un Acadien, c'est pas compliqué, là. Ah, vraiment pas, c'est quelqu'un qui a une adresse permanente depuis au moins 24 heures et *qui parle le français et qui demeure ici*.

> Charles : Ne peut-on pas être Acadien ou Acadienne d'adoption ? Et venir de la France, venir du Québec, venir de l'Afrique ? Dans ma philosophie personnelle, absolument. […] Alors inversement, pour être Acadien ou Acadienne, il ne faut pas avoir subi la Déportation chez ses ancêtres.

Face à ces considérations, il est à présent intéressant de voir comment les immigrants francophones abordent la problématique de l'identité acadienne et comment ils articulent leur rapport à la communauté acadienne.

Diverses diversités : le discours de l'immigrant francophone sur l'Acadie

Dans cette deuxième partie, il s'agit de proposer, sans toutefois uniformiser les discours et les expériences, une synthèse du positionnement des immigrants francophones face à l'acadianité, soit plus précisément eu égard à l'Acadie, à l'identité acadienne comme identité collective en parallèle à la diversité et à l'immigration francophone. L'étude de ce second groupe est effectuée à partir d'une douzaine d'entretiens semi-dirigés menés auprès d'immigrants francophones vivant à Moncton depuis au moins deux ans[5]. Le terme « immigrants » devrait sans doute être substitué par celui de « francophones venus d'ailleurs », expression évoquée plus haut, puisque la moitié d'entre eux détiennent la citoyenneté canadienne. Or, comme cela est fréquemment soulevé dans les études qui traitent de l'immigration, le sentiment général est qu'on ne cesse jamais d'être immigrant, non seulement dans le regard de l'autre (l'autre étant celui qui se trouve en position légitime, reconnu comme « de souche » soit dans le pays d'accueil, soit dans le pays d'origine), mais également dans le regard que l'on porte sur soi. Il y a donc un entre-deux à gérer; on est dans le ni, ni : ni complètement d'ici, ni totalement d'ailleurs, ce qui rejoint, par ailleurs, l'ambivalence exprimée par les militants quant à la place de l'immigrant francophone. Par conséquent, il s'agit principalement d'une question de représentations et de postures desquelles participe également pour les interviewés la construction d'un « nous » et d'un « eux »[6].

Les participants, soit cinq femmes et huit hommes, sont originaires d'Europe de l'Ouest, du Maghreb et de l'Afrique subsaharienne. Ils occupent des professions variées et détiennent tous une formation postsecondaire. Ils ont entre une vingtaine et une cinquantaine d'années. Les entretiens ont essentiellement exploré les thèmes de la langue, de l'identité et de l'intégration, en tâchant de mettre en valeur la particularité de chaque parcours et de chaque vécu. Ainsi, comment ces francophones issus de l'immigration se positionnent-ils face au discours identitaire acadien? Se réclament-ils d'une identité acadienne? Quelles représentations se font-ils de la société acadienne? Avec quelles conséquences sur leur sentiment d'appartenance?

Appartenance(s) identitaire(s) des francophones d'ailleurs

De manière générale, les immigrants affirment sentir la société acadienne ouverte; cette ouverture est souvent appuyée par le fait qu'ils entretiennent de bons rapports avec les Acadiens à travers divers contacts. À l'exception de deux d'entre eux, ils se disent intégrés et inclus au sein de la société d'accueil qui, pour la plupart, correspond à la communauté et/ou société acadienne, les deux expressions étant employées. Or la question se complexifie lorsqu'il s'agit de voir s'ils s'identifient à l'acadianité puisque se sentir intégrés ne signifie pas nécessairement être Acadiens. Les deux extraits suivants illustrent parfaitement cette distinction :

> Michel : Moi je n'y crois pas *néo Acadien*, pis c'est pas pour autant que je me sens pas *inclus* tu vois, je veux dire c'est, il faut distinguer les deux là tsé je me sens vraiment *inclus* pis je sens que je suis apprécié à ma juste valeur pis que je peux *contribuer* euh à la francophonie.

Abdel: J'ai pas une culture acadienne, ça fait juste quoi ça fait douze ans que je suis là donc euh *je ne prétends pas être un Acadien*, bien sûr je *comprends le milieu* j'aime bien les Acadiens ils sont très sympathiques mais je ne me considère pas un Acadien [...] par contre je m'*intègre* bien [...] et puis je *participe* dans la vie quotidienne de la société acadienne, je pense qu'il y a pas de problème de ce point de vue.

On peut constater que le discours sur l'inclusion et l'intégration passe davantage par les notions de participation et de contribution que par le fait de se dire Acadien; on se fait plutôt Acadien de par nos actions. En ce sens, cela renvoie à un rôle plus citoyen/civique, paradoxalement, puisque cette non-appropriation de l'acadianité marque un penchant vers une interprétation ethnique de l'identité acadienne. En effet, il est important de souligner que les interlocuteurs vont souvent avoir recours à des représentations et à des caractérisations ethnicisantes de l'Acadie afin d'expliquer et de justifier leur non-acadianité. Ils évoquent l'histoire (et ses dérivés: le passé, la Déportation), la culture, les traditions, l'origine et même la langue (dans sa variation acadienne) comme marqueurs identitaires primordiaux qu'ils ne partagent pas avec les Acadiens et qui rend leur appartenance à l'acadianité impossible. De plus, il semble que ce soit également le discours que les immigrants attribuent aux Acadiens tel qu'il est exprimé dans le prochain extrait:

Ève: Ici les Acadiens essaient de prouver déjà qu'ils sont une euh pas dire une nation mais un groupe ethnique à part entière où c'est déjà assez difficile [...] donc aller en plus accueillir d'autres personnes qui *visuellement ce n'est pas des Acadiens par notre langage on est pas Acadiens par notre background* etc. je ne pense pas qu'on soit arrivé à ce moment-là, je pense que ça arrivera *peut-être dans une cinquantaine d'années là*.

La représentation d'une Acadie plutôt ethnique chez les interviewés va d'ailleurs à l'encontre de l'image inclusive que les militants cherchent à donner de l'Acadie, comme nous avons pu le mettre en évidence plus haut. De plus, les interviewés critiquent à de nombreuses reprises le peu de place « visible » accordée à la diversité au sein de l'espace public acadien, la société acadienne correspondant, dans leurs représentations, à une société essentiellement blanche:

Michel: Pis l'exécutif là des organismes pis souvent c'est tsé c'est très *blanc* là pis c'est normal ça reflète la population ici qui est *très*

> *blanche* aussi mais en même temps je me dis si on pouvait laisser
> une plus de place tu vois au à la *diversité* culturelle dans ce genre
> de choses là, c'est des je veux dire c'est des modèles pour des
> immigrants qui arrivent qui dit « ben regarde lui c'est rendu là pis
> tsé il s'est bien intégré ».

Or, comme chez les militants, on remarque tout de même une ambivalence entre l'ethnique et le civique dans la définition de l'acadianité puisqu'il y a une ouverture, une brèche dans cette vision ethnique des rapports sociaux, celle induite par une diversification accrue de la population en Acadie du Nouveau-Brunswick. Selon les interviewés, cette diversification est principalement incarnée par la nouvelle génération, à savoir celle des enfants, d'une part, d'immigrants et, d'autre part, issus de couples mixtes entre immigrants et Acadiens. Il s'agit donc d'une transformation qui s'étale dans la durée et qui émerge de l'intérieur de la communauté. L'une de nos interlocutrices emploie d'ailleurs l'expression imagée de « mixture » acadienne pour faire référence à ces processus de reconfigurations identitaires. De plus, nombreux sont les immigrants qui évoquent la possibilité pour leurs enfants d'être/de devenir Acadiens. D'autres tiennent même un discours affirmatif à cet endroit à travers une nouvelle appellation, celle d'« Afro-Acadien » pour marquer l'émergence de nouvelles réalités en Acadie :

> Malika : Pis il y a *l'Acadie en Afrique* c'est ça les gens qui sont
> mariés à des Acadiens ils ont des enfants ces enfants sont pas tout
> à fait seulement des Acadiens ils sont des Africains aussi c'est pour
> ça je dis des *Afro-Acadiens* on dit des Afro-Américains pis tout ça
> c'est, l'Acadie ça *grandit* ça *élargit*.

Or, parallèlement à ce discours, on retrouve des passages mettant plutôt en scène une certaine confrontation identitaire entre différents marqueurs, tels que l'accent et la couleur de la peau, qui devront faire l'objet d'une réarticulation afin de laisser place à de nouvelles combinaisons légitimes :

> Hakim : Ici spécialement l'Acadie il y a tellement de choses à faire
> à ce niveau-là pour les sociétés à venir pis les nouveaux qui vont
> être nés ici parce qu'il y a ce problème-là [...] parce qu'il y a des
> Noirs qui sont nés ici qui parlent chiac c'est incroyable c'est des
> Acadiens mon Dieu t'as même pas besoin de faire la démonstration ils s'expriment vraiment pis ils sont fiers, mais ils oseront

jamais dire que je suis Acadien, ça fait drôle ça fait bizarre dans la *vision de l'autre*.

L'autre auquel Hakim fait référence renvoie implicitement à l'Acadien « de souche », donc à l'expression d'une marque d'authenticité encore présente qui distinguerait les « vrais » des « nouveaux » Acadiens. Cette situation, où le temps et la filiation entrent clairement en considération dans la définition de l'acadianité, force la réflexion identitaire et établit un consensus chez les immigrants autour de la nécessité de repenser l'identité acadienne de manière à accorder une légitimité à cette nouvelle « forme » de diversité. Pour les participants, il faut donc agir sur le plan des représentations identitaires, notamment sur celles des Acadiens eux-mêmes.

> Youssouf: Mais il faut convaincre maintenant les gens à dire il faut redéfinir l'identité acadienne, l'Acadie d'aujourd'hui va être *différente* de l'Acadie dans le temps, l'Acadie d'aujourd'hui ne sera *pas homogène* l'Acadie d'aujourd'hui c'est une Acadie *hétérogène*, hétérogène sur plusieurs plans, sur le plan non seulement euh *racial* mais sur le plan pratique euh *culturel* […] au sein de l'Acadie elle-même.

Comme les récits des immigrants interviewés le mettent en évidence, le processus de recompositions identitaires de l'acadianité, bien qu'il se heurte à des résistances, est amorcé, du moins en ce qui concerne la réalité démographique et familiale qui la compose, plus particulièrement dans la région de Moncton. Par ailleurs, nombreux sont les auteurs à avoir souligné l'importance du métissage, du contact et même du conflit dans la transformation des imaginaires identitaires nationaux puisque ce sont les changements de l'« intérieur », du « nous » qui engendrent véritablement une intégration et un travail renouvelé sur la ou les « mémoire(s) » collective(s) (référence à la créolisation chez Glissant, 1995; Baccouche, 1997; Noiriel, 2007). Or, situés au carrefour de nombreux points de tension déjà inhérente à l'acadianité moderne, à savoir notamment la filiation, les immigrants semblent pour l'instant s'inscrire davantage dans l'espace que constitue la francophonie, ce qui leur permet sans doute de mieux se construire une légitimité. En effet, on peut difficilement mettre en cause leur identité en tant que francophone, ce qui n'est pas le cas en ce qui a trait à l'identité acadienne.

S'entendre : émergence du *lieu* comme terrain d'entente[7]

Une conciliation entre, d'une part, l'affirmation d'une inclusion dans une communauté francophone et, d'autre part, une acadianité présentée par les deux groupes comme authentique est-elle possible ? En d'autres termes, existe-t-il entre immigrants et militants francophones un terrain d'entente identitaire, malgré les divergences que nous avons relevées, qui soit à la fois envisageable, mais également envisagées par les différents intervenants de notre recherche ?

La réponse à cette double question est positive. Et c'est le *lieu*, l'ici dans sa généralité et son abstraction, son caractère indéfini qui est présenté comme point de convergence ou de contact entre les Acadiens francophones « d'ici » et ceux d'ici également, mais venus d'ailleurs. Complexe et polyforme, la notion de lieu, développée dans le courant de la *humanistic geography*, nous a paru offrir une voie d'interprétation féconde à la caractérisation de l'« ici en Acadie » dans nos entretiens, puisqu'elle insiste sur la dimension relationnelle et représentative du phénomène en question : « Le lieu est homologue et constitutif du soi. La relation de soi au monde et de soi aux autres est construite par un discours joignant les éléments subjectifs et objectifs du lieu et de la communauté » (Entrikin, 2003 : 557). Par conséquent, le lieu désigne non une identité distincte, non un territoire délimité, ni un attribut linguistique, politique ou social quelconque, mais un alentour, un environ, un secteur, un voisinage, un emplacement, un site, un « milieu » diront certains, en tout état de cause : un « ici » commun.

Le rapport à l'acadianité renverrait quant à lui à un processus en construction, parfois hésitant, tel que les formulations discursives suivantes le laissent entendre, en s'articulant toutefois autour d'un vivre ensemble dans un lieu commun.

> Mamaye : Et puis bon, euh, *pourquoi pas je suis devenu Acadien*, parce que j'ai passé une bonne partie de ma vie d'adulte *ici*, hein j'ai passé plus de onze ans *ici*.

Mamaye exprime la possibilité de devenir Acadien en inscrivant sa légitimité dans le nombre d'années passées en Acadie. Or son « pourquoi pas » qui précède marque la fragilité d'une telle affirmation. Cet « ici », bien qu'abstrait, n'est pas indistinct. Il est dit, et ce « lieu-dit », c'est l'Acadie. Un lieu-dit particulier, chargé d'histoire et de sens, certes, mais qui n'impose pas aux individus qui s'y trouvent une forme quelconque d'appartenance identitaire. Malika, pour sa part, est d'emblée beaucoup plus directe que Mamaye dans ses propos ; elle se considère chez elle en Acadie. Cependant, elle ne réussit pas à être totalement sûre d'elle puisque le rejet et la non-reconnaissance de l'autre demeurent possibles.

> Malika : Je considère *ici comme chez moi* on dit que le milieu fait l'homme, c'est comme ça je le vois, c'est chez moi si je vais quelque part je vais dire *chez moi en Acadie, pourquoi pas pourquoi pas*, moi je le dis je sais pas si les autres le voient de même ou les Acadiens l'acceptent.

Finalement, Rosa résume parfaitement l'ambivalence entre identité acadienne et identification à l'Acadie.

> Rosa : Donc si c'est les Acadiens qui sont francophones on se rallie à *eux-autres* parce qu'on a presque les mêmes intérêts […] donc c'est la raison dont *je vais me dire Acadienne, mais je le suis pas (rire) mais je vis en Acadie.*

À défaut de pouvoir totalement et sans ambiguïté se dire Acadiens, ils se réclament d'un lieu acadien qu'ils font leur. Ces extraits, tirés des entretiens avec les immigrants francophones, font écho à la caractérisation de l'« ici » et « maintenant » en Acadie chez les militants qui expriment une volonté de changement, marquée dans une certaine mesure, par une rupture avec l'interprétation traditionnelle et passéiste de l'identité acadienne :

> Manon : Tandis que, bon, là c'est une, la *deuxième* Acadie, c'est *post-Déportation*, celle dans laquelle on est tout de suite, c'est après la Déportation, ce qui s'est reconstitué comme Acadie avec des éléments du Québec et d'ailleurs avec des éléments de plus en plus *diversifiés*, là, même si on reste quand même assez pas beaucoup d'*immigrants*, là, un peu, mais pas beaucoup, quand même, ça reste quand même assez *diversifié*.

> André : Oui et je sens que l'Acadie a besoin de se doter de capacités d'accueil de ces personnes-là, des francophiles, des immigrants, des étudiants en immersion, aussi. Tu sais, c'est des jeunes, ou des adultes, c'est des personnes qui sont en train d'apprendre la langue ou qui essayent de *s'intégrer au tissu acadien* et moi il n'y

a rien qui me *piss off* plus qu'une tête blanche acadienne qui est
comme « je suis un LeBlanc et je suis un vrai Acadien parce que
je suis catholique et que je mange de la poutine ». *L'Acadie c'est
plus about ça.*

Pour ces deux militants acadiens, il y a deux Acadies : celle qui se
construit de par son héritage français et catholique, fossilisé dans l'événement fondateur que constitue la Déportation, et celle qui se construit par un processus de diversification, la diversité étant autant incarnée par les francophones d'ailleurs au Canada, par les immigrants et
par les anglophones issus du programme d'immersion. Il devient donc
assez clair que la représentation de l'immigration en Acadie participe
d'un mouvement plus large qui consiste à mettre de l'avant une
conception pluraliste de l'Acadie, qui ne nie pas l'histoire ni la portion
authentique de l'identité acadienne, cette « trace » dont fait mention
Joseph Yvon Thériault (2007), mais qui tend à exonérer les francophones d'Acadie de faire la démonstration d'une filiation quelconque.

Conclusion : perspectives et pierres d'attente

À la lumière de notre travail, il est possible de réinterpréter les
débats qui se font jour dans la société acadienne contemporaine sur la
question des rapports entre la communauté d'accueil et la francophonie issue de l'immigration. Deux approches s'opposent, dans lesquelles d'ailleurs on retrouve à la fois des militants acadiens et des
francophones issus de l'immigration vivant en Acadie. L'une consiste à
considérer l'identité acadienne comme malléable et parfaitement adap-
table à la nouvelle réalité de la francophonie en Acadie. Selon cette
approche, avec un peu d'optimisme et une bonne dose d'urbanité, un
« M'Balla » sera autant acadien qu'un « Boudreau » dans quelques
années. L'autre approche consiste, au contraire, à considérer l'identité
acadienne comme complètement tributaire du long récit d'une communauté marquée par certaines tragédies historiques et un certain
rapport à l'histoire, et au caractère authentique de cette histoire, qui
rend bien vaine l'idée d'un métissage identitaire volontariste. Loin de
vouloir exclure l'autre francophone, celui venu d'ailleurs, il s'agit plutôt de réinventer les termes d'une communauté nouvelle, francophone,
englobant et les Acadiens, d'une part, et les francophones venus
d'ailleurs, d'autre part.

Ce débat, qui transcende les sempiternelles oppositions entre approches « ethniques » et « civiques », se reflète dans les récentes transformations des noms de certains organismes, qui intègrent le terme « francophone » plutôt qu'acadien dans leur intitulé, à l'image de cette Commission consultative sur la gouvernance de la société civile acadienne et francophone du Nouveau-Brunswick. Ces modifications n'échappent d'ailleurs pas à l'observation critique de certains militants acadiens :

> Charles : Alors donc si de plus en plus d'organismes ajoutent le vocable « et francophones », mais est-ce que ce n'est pas dire que le concept de l'identité acadienne dans l'esprit de plusieurs est relégué justement à des descendants de déportés ?

Il semble pourtant, à la lumière de l'analyse de nos entretiens, que ce débat entre « francophonie » et « acadianité » soit passablement dépassé. Ce qui se dessine, c'est un espace intermédiaire, composite, ouvert qui s'articule autour de l'ancrage dans un lieu commun, désigné, ou désignable comme étant l'Acadie. La notion de lieu, que l'on emprunte à Édouard Glissant, écrivain et essayiste martiniquais, évite justement le piège de l'identité « racine unique » qui se refermerait sur elle-même. Dans *Introduction à une poétique du divers*, Glissant propose le concept de créolisation comme théorie interprétative du monde. La créolisation, bien qu'ancrée dans le lieu que constituent les Antilles, va au-delà de ce contexte ; elle fait référence à la situation du monde actuel, soit à l'hétérogénéité des identités et des modes de vivre ensemble qui fait appel à un nouvel imaginaire :

> La notion d'être et d'absolu de l'être est liée à la notion d'identité « racine unique » et d'exclusivité de l'identité, et [que] si on conçoit une identité rhizome, c'est-à-dire racine mais allant à la rencontre des autres racines, alors ce qui devient important n'est pas tellement un prétendu absolu de chaque racine, mais le mode, la manière dont elle entre en contact avec d'autres racines : la Relation (1995 : 25).

Le lieu se distingue donc en ce sens du territoire, auquel l'Acadie ne peut prétendre, puisqu'il ne fait pas référence à des frontières géographiques, mais permet ce jeu subtil des « relations » dont parle Glissant. Par ailleurs, l'identité acadienne est souvent interprétée de manière problématique en raison de son absence de territoire politique, d'État et de gouvernance dont les raisons d'être sont d'assurer l'intégration, voire l'absorption, selon le modèle prôné, de la diversité. Pour certains, cela aboutit à une impossible acadianité pluraliste. Or il nous semble pertinent justement de poser un regard différent sur ces phénomènes afin de ne pas se limiter à les concevoir à travers le prisme de l'État-nation qui tend rapidement à être réducteur pour les minorités. L'absence d'État, de territoire, est peut-être, paradoxalement, un atout dans la définition d'une appartenance à l'Acadie.

Et si, précisément, cette forme d'« indécision territoriale » qui caractérise l'Acadie était son principal facteur d'inclusion ? Glissant affirmait justement que « ce lieu on peut le fermer, et on peut s'enfermer dedans. [...] L'important aujourd'hui est précisément de savoir discuter d'une poétique de la Relation telle qu'on puisse, sans défaire le lieu, sans diluer le lieu, l'ouvrir » (p. 24). Le lieu indécis, l'« ici », semble plutôt être, dans le contexte acadien, créateur d'un « vivre ensemble » autour d'une volonté commune d'entrer en relation avec l'autre, sans pour autant être détaché de toute dimension identitaire comme on a pu le reprocher à l'appellation « francophonie / francophones du Nouveau-Brunswick ». De plus, en dépit du fait que nombre de nos interlocuteurs immigrants se sentent davantage interpellés par la catégorie francophone, ils s'entendent pour affirmer la nécessité de continuer à véhiculer une identité acadienne historicisée.

Enfin, rappelons que les discours, autant chez les militants que chez les immigrants/immigrés, ne brossent pas le portrait d'une réalité acadienne stable, mais plutôt d'une identité qui change en permanence. Il est intéressant de noter qu'en rapport à l'immigration, les deux groupes ne mettent pas l'accent sur des dynamiques de même nature. Pour les militants, il s'agit davantage d'une dynamique exogène, autour d'un *autre* venant d'ailleurs alors que pour les immigrants, on la qualifie plutôt d'endogène, en évoquant des changements de l'intérieur de par, entre autres, le métissage. D'ailleurs, pour appuyer cette idée et revenir au concept de lieu, on remarque que les francophones issus de l'immigration parlent de leurs enfants en utilisant des expressions telles que : « Ils ont grandi *ici* » ; « Ils sont nés *ici* » ; « Leur milieu c'est *ici* », afin de marquer leur appartenance à l'Acadie. Il semble donc que ce soit cet « ici » comme lieu d'appropriation commun qui constitue le terrain d'entente des recompositions identitaires.

En définitive, on peut avancer qu'à défaut d'une société acadienne, c'est une société francophone d'Acadie qui semble se dessiner au regard du discours des militants acadiens tout comme des immigrants francophones.

NOTES

1. « [...] la langue renferme les concepts, les catégories et les ontologies qui décrivent et composent le monde dans lequel on vit. » (Nous traduisons.)

2. Nous reprenons ici la distinction traditionnellement acceptée entre, d'une part, une appartenance basée sur la volonté d'un « vivre ensemble » commun et, d'autre part, une appartenance en quelque sorte « malgré soi » tenant à un ensemble de facteurs réputés objectifs comme la filiation, la langue, la religion, le partage d'ancêtres communs.

3. Tous les noms utilisés dans cet article sont des pseudonymes.

4. L'italique sert à mettre l'accent sur des mots ou des passages particulièrement pertinents de l'extrait cité.

5. Ces entretiens ont été réalisés dans le cadre de la recherche de doctorat d'Isabelle Violette (2010), subventionnée par le CRSH et menée sous la direction d'Annette Boudreau et de Didier de Robillard.

6. Il est important de souligner que, pour les fins de cet article de nature comparative, nous faisons référence aux immigrants francophones de manière quelque peu homogénéisante, c'est-à-dire comme un seul groupe. Or nous sommes conscients que l'expérience migrante varie selon l'origine, le projet, le parcours etc., différences que nous souhaiterions mettre en valeur dans le cadre de futures analyses, mais qui ne constituent pas ici, *stricto sensu*, l'objet de cet article.

7. Nous n'avons fait, dans cet article, qu'effleurer la notion de lieu de manière à comprendre le sens que revêt l'« ici » dans les discours de nos interviewés. Or, déjà largement utilisée en géographie et en théorie littéraire (voir notamment Jean-Marc Moura [1999] et Édouard Glissant, [1995] en ce qui a trait au lieu comme condition d'énonciation de l'écrivain francophone), elle mériterait certainement d'être un peu plus explorée en sociologie et en science politique, afin de mieux saisir les phénomènes identitaires actuels qui touchent les sociétés contemporaines. Un travail que nous entreprenons présentement.

BIBLIOGRAPHIE

APPADURAI, Arjun (2001). *Après le colonialisme: les conséquences culturelles de la globalisation*, trad. de *Modernity at Large: Cultural Dimensions of Globalization* (1996), Paris, Payot.

BACCOUCHE, Nasser (1997). « L'immigration au Canada: un analyseur des dynamiques nationales », dans Michèle Vatz-Laaroussi, Myriam Simard et Nasser Baccouche (dir.), *Immigration et dynamiques locales*, Chicoutimi, Chaire d'enseignement et de recherche interethniques et interculturels de l'Université du Québec à Chicoutimi, p. 19-44.

BELKHODJA, Chedly (dir.) (2008). « Immigration et diversité au sein des communautés francophones en situation minoritaire », *Canadian Issues = Thèmes canadiens*, printemps, p. 3-6.

BLOMMAERT, Jan (2005). *Discourse: Key Topics in Sociolinguistics*, Cambridge, Cambridge University Press.

ENTRIKIN, Nicholas J. (2003). « Lieu 2 », dans Jacques Lévy et Michel Lussault (dir.), *Dictionnaire de la géographie et de l'espace des sociétés*, Paris, Éditions Belin.

GALLANT, Nicole (2007). « Quand les immigrants sont la minorité dans une minorité: ouverture et inclusion identitaire en milieu francophone minoritaire », *Nos diverses cités: collectivités rurales*, nº 3 (été), p. 93-97.

GIBBS, Graham R. (2002). *Qualitative Data Analysis: Explorations with NVivo*, Philadelphia, Open University Press.

GLISSANT, Édouard (1995). *Introduction à une poétique du divers*, Montréal, Presses de l'Université de Montréal.

KYMLICKA, Will (2007). *Multicultural Odysseys: Navigating the New International Politics of Diversity*, Oxford, Oxford University Press.

LAPEYRONNIE, Didier (1993). *L'individu et les minorités: la France et la Grande-Bretagne face à leurs immigrés*, Paris, Presses universitaires de France.

LESSARD, Jean-François (2007). *L'État de la nation*, Montréal, Liber.

LIPOVETSKY, Gilles, (1983). *L'ère du vide: essais sur l'individualisme contemporain*, Paris, Gallimard.

LIPOVETSKY, Gilles (2004). *Les temps hypermodernes*, Paris, Grasset.

MADIBBO, Amal (2003). *Conceptualizing Race, Language and Power: Social Relations among Francophones in Ontario*, Gouvernement du Canada, Publications internes de Patrimoine canadien.

MADIBBO, Amal, et John MAURY (2001). « L'immigration et la communauté franco-torontoise : le cas des jeunes », *Francophonies d'Amérique*, n° 12 (automne), p. 113-122.

MOURA, Jean-Marc (1999). *Littératures francophones et théorie postcoloniale*, Paris, Presses universitaires de France.

NOIRIEL, Gérard (2001). *État, nation et immigration : vers une histoire du pouvoir*, Paris, Éditions Belin.

NOIRIEL, Gérard (2007). *Immigration, antisémitisme et racisme en France : discours publics, humiliations privées*, Paris, Fayard.

NOOTENS, Geneviève (2004). *Désenclaver la démocratie : des huguenots à la paix des Braves*, Montréal, Québec Amérique.

ROUSSEAU, Guillaume (2006). *La nation à l'épreuve de l'immigration : le cas du Canada du Québec et de la France*, Québec, Éditions du Québécois.

SCHNAPPER, Dominique ([1994] 2003). *La communauté des citoyens : sur l'idée moderne de nation*, Paris, Folio essais.

THÉRIAULT, Joseph Yvon (1995). *L'identité à l'épreuve de la modernité : écrits politiques sur l'Acadie et les francophonies canadiennes minoritaires*, Moncton, Les Éditions d'Acadie.

THÉRIAULT, Joseph Yvon (2007). *Faire société : société civile et espaces francophones*, Sudbury, Prise de parole.

TRAISNEL, Christophe, et Isabelle VIOLETTE (2010). « Qui ça, nous ? La question des identités multiples dans l'aménagement d'une représentation de la francophonie en Acadie du Nouveau-Brunswick », dans Nathalie Bélanger *et al.* (dir.), *Produire et reproduire la francophonie en la nommant*, Sudbury, Prise de parole.

VIOLETTE, Isabelle, et Annette BOUDREAU (2008). « Reconfigurations identitaires en milieu minoritaire acadien : les enjeux sociolinguistiques vécus par des immigrants francophones à Moncton », *Metropolis Working Paper Series*, Centre Metropolis Atlantique, n° 16, p. 1-18, [En ligne], [http://www.atlantic.metropolis.net/WorkingPapers/Violette_Boudreau_WP16.pdf] (14 septembre 2010).

Références historiennes : l'historiographie acadienne contemporaine et l'influence québécoise

Julien MASSICOTTE
Université de Moncton
Campus d'Edmundston

La question des échanges intellectuels entre un centre et ses périphéries aboutit nécessairement à des interrogations plus larges. Prenons celle-ci, par exemple : une influence historiquement établie peut-elle se modifier, et si oui, comment ? Plus spécifiquement, en considérant l'historiographie québécoise comme le centre d'un univers culturel et symbolique particulier, la francophonie canadienne et la communauté acadienne comme l'une de ses périphéries, il est légitime, d'une part, de chercher à faire le point sur la discipline historienne en Acadie (puisque l'écriture de l'histoire a toujours constitué l'une des sphères centrales où le « centre » a joui d'une influence significative au sein de la « périphérie » acadienne), en examinant la nature des rapports qu'elle entretient avec la tradition historiographique québécoise, et d'autre part, d'essayer de comprendre l'évolution temporelle de ces rapports.

L'Acadie se situe et s'est située depuis longtemps en marge du Québec et des Maritimes. Cette situation particulière aura laissé plusieurs traces dans l'histoire acadienne : des élites qui reproduisent en Acadie des congrès québécois, tout en s'assurant d'y chanter à la note le *God save the Queen* ; un mouvement coopératif acadien qui s'articule et s'intègre à la fois à ses équivalents canadiens-français et néo-écossais ; un jeune Acadien ayant étudié au Québec, devenu premier ministre d'une province majoritairement anglophone, etc. Cette situation de double marginalité finira par marquer la culture savante acadienne, en général, et historienne, en particulier. Durant bien des décennies, les historiens acadiens ou de l'Acadie (ce qui n'est pas exactement la même chose) ont évolué dans le giron du Canada français, malgré la distinction identitaire à laquelle une partie des élites acadiennes a tenu depuis la fin du XIXe siècle. L'histoire de l'Acadie se confondait souvent avec celle du Canada français (à l'époque où la société canadienne-française catholique était autre chose qu'un souvenir) ou, du moins, en constituait un chapitre important (particulièrement l'épisode de la Déportation). Il était plus que normal que les historiens acadiens partagent les mêmes préoccupations à l'égard du passé de leur propre société que leurs collègues canadiens-français[1]. Les historiographies « nationales » institutionnellement établies au pays, c'est-à-dire québécoise et canadienne-anglaise, se sont progressivement désintéressées du passé acadien. Fernand Harvey (2000) a bien montré par ailleurs, il y a quelques années, que le déclin de la société canadienne-française et de l'idéologie globale catholique ainsi que la modernisation des structures et des changements de mœurs auront tôt fait d'accélérer le désintérêt des historiens québécois pour l'histoire de l'Acadie. Les derniers historiens du Québec à publier des synthèses d'histoire acadienne, Robert Rumilly ([1955] 1981, 1983) et Bona Arsenault (1955), le font en 1955. L'historien Jacques Paul Couturier (2003) exposait récemment le même phénomène du côté des historiens canadiens-anglais, pour conclure qu'à leurs yeux, « l'Acadie, c'est un détail ».

Si l'intérêt de l'historiographie québécoise (et non plus canadienne-française) pour le passé acadien s'amoindrit significativement, l'influence de cette tradition chez les historiens acadiens se fait encore sentir pendant un certain temps. Cette empreinte peut résulter de plusieurs facteurs, dont l'influence institutionnelle et la proximité idéologique. Par exemple, l'historien Léon Thériault, connu pour ses analyses de la question politique en Acadie, a collaboré au volume de Jean Hamelin et Yves Roby *Histoire économique du Québec* (1971). Clément Cormier, fondateur avec quelques autres de la Société historique acadienne, subissait également l'influence intellectuelle canadienne-française des années 1940 et 1950 incarnée par le père Georges-Henri Lévesque, de l'Université Laval[2]. Bref, il pouvait encore exister, strictement chez les historiens professionnels, des rapports de coopération et d'échanges mutuels.

Les années 1960 et 1970 ont constitué une période au cours de laquelle les historiens acadiens ont partagé avec leurs collègues québécois des idéologies politiques très semblables. Le néonationalisme battait son plein au Québec comme en Acadie. Les historiens québécois étaient souvent cités par leurs confrères acadiens et représentaient souvent des sources d'inspiration. Les intellectuels des deux sociétés voisines partageaient les mêmes utopies et, conséquemment, des références intellectuelles et savantes similaires. Pensons à l'appel à la scientificité et à la rigueur de Thériault (1973) au début des années 1970, ou au désarroi de Michel Roy (1978) face au déclin du projet national en Acadie, ou encore au portrait de l'Acadien colonisé que peint Régis Brun (1982). Si les échanges sont loin d'être réciproques et équivalents, le monde intellectuel québécois porte tout de même une attention, parfois distraite, aux voisins acadiens. Quelques numéros de revues, telles que *Liberté* (1969), *L'Action nationale* (1978) et *Possibles* (1980), sont consacrés à l'Acadie durant les années 1970.

Cette double influence québécoise, idéologique et institutionnelle, s'amenuisera au cours des années 1980, et particulièrement durant les années 1990, et ce, jusqu'à aujourd'hui. Dès lors, l'historiographie acadienne, aux mains d'une nouvelle génération d'historiens plus jeunes, souhaitant écrire l'histoire sociale de l'Acadie, abandonne le paradigme de l'histoire politique ou nationale. Le fait d'avoir libéré le passé acadien de la matrice politico-nationale ouvre aux historiens des horizons peu explorés jusqu'alors : ils travaillent désormais sur une variété de sujets (ou d'objets), sans partager les mêmes « raisons communes » ni la même ambition que leurs aînés, celle de faire de l'histoire une science politisée ou polémique, c'est-à-dire une science avant tout concernée par le destin politique des collectivités[3].

Sur le plan des rapports institutionnels, il faut noter le maintien des liens entre les institutions québécoises (groupes de recherche, lieux de publication, participation aux colloques, etc.) et les historiens acadiens. Soulignons le fait que plusieurs historiens acadiens contemporains ont poursuivi leurs études doctorales dans des universités québécoises, notamment à Laval, McGill ou à l'Université de Montréal. Il semble toutefois, et la présente étude cherchera à explorer cette impression, que les historiens acadiens contemporains partagent davantage les impératifs de recherche, en histoire, des universités anglophones des Maritimes, plutôt que celles du Québec, et que la proximité entre la communauté historienne maritimienne et acadienne soit devenue plus importante que celle entre historiens acadiens et québécois. Les historiens anglophones des Maritimes auront connu des changements importants, eux aussi, au cours des années 1970, notamment avec la renaissance de la revue *Acadiensis* et l'importance grandissante accordée à l'histoire sociale[4].

Comme au Québec, l'histoire sociale se retrouve aujourd'hui en position hégémonique dans le champ historien, sans toutefois y avoir subi la même contestation. Le débat autour du « révisionnisme » et du « postrévisionnisme », qui semble prendre l'ampleur d'une césure générationnelle (c'est du moins ce qui transparaît dans les discours des acteurs concernés), n'a pas véritablement eu lieu en Acadie. Là où on semble voir réapparaître au Québec, surtout au sein d'une plus jeune génération d'historiens, une volonté de renouer avec l'histoire politique ou l'histoire des idées, en Acadie, l'histoire sociale demeure toujours en position dominante[5].

Ainsi, les liens entre les historiographies québécoise et acadienne semblent être présentement provisoires, circonstanciels, et ne paraissent pas profondément ancrés, et ce, malgré les parcours universitaires des historiens acadiens contemporains. Les champs du savoir, comme le reste, ont aussi été marqués par le fossé entre les francophonies canadiennes et le Québec. L'histoire n'est pas un cas d'espèce[6].

L'écriture de l'histoire, l'influence et les références

Nous tenterons, dans ce qui suit, d'examiner l'espace que la production historienne et les sources historiques diverses du Québec occupent au sein des ouvrages des historiens acadiens des dernières décennies, en comparaison avec d'autres sources d'influence possible. L'hypothèse de départ, énoncée plus haut, est que l'influence de l'historiographie québécoise se faisait plus présente au sein des ouvrages rédigés durant les années 1970 ou au début des années 1980 par des historiens acadiens ayant commencé leur carrière professionnelle durant les années 1960 ou 1970 ; en contrepartie, cette influence, croyons-nous, décline chez les historiens acadiens dont la carrière débute au cours des années 1980 et dont les principaux travaux ont été publiés durant les années 1990[7]. L'approche adoptée ici consiste en une recension des références dans le texte (et non bibliographiques), de chaque ouvrage des deux corpus. Les sources premières comme les sources secondaires ont été recensées. On a compté principalement les références en notes, mais sans s'y limiter. Les références à différents auteurs qui n'étaient pas en notes de bas de page mais dans le corps du texte ont également été consignées, tout comme la provenance de différents documents, comme les tableaux ou les photos d'archives, afin de pouvoir comparer équitablement les textes entre eux[8]. On n'a pas tenu compte des bibliographies, pour les raisons suivantes : a) tous les ouvrages retenus n'en possèdent pas ; b) la présence d'un ouvrage en bibliographie n'est en rien un indicateur de sa fréquence d'utilisation. On a tenté ici, avant tout, de vérifier comment s'articule la présence de références de différentes provenances au sein de la production historienne acadienne récente.

Quatorze textes clés issus de l'historiographie acadienne des dernières décennies ont été retenus, afin d'y mesurer le poids et la présence de différentes références savantes, historiennes ou archivistiques. Les textes ont été choisis principalement selon leur influence respective au sein du champ historien acadien, ainsi que selon leur pertinence scientifique et culturelle[9]. Ces textes sont en fait des livres dont les dates de parution vont de la fin des années 1970 au début des années 2000. Parmi les textes retenus aux fins de l'analyse, sept représentent chaque groupe d'historiens. Ces textes vont des études spécialisées aux ouvrages de synthèse, en passant par les manuels, les ouvrages de vulgarisation et les essais. Le choix des textes a été effectué en tentant, autant que faire se peut, de représenter équitablement les efforts et les accomplissements des deux cohortes d'historiens. Évidemment, on peut toujours discuter le choix de ces quatorze ouvrages, mais les principaux auteurs des deux cohortes y sont représentés, et une répartition équitable de différents types de documents (synthèse historique, essai, monographie) a du moins été tentée.

Au sein du premier ensemble de textes, deux ouvrages de Michel Roy ont été retenus, soit son essai polémique *L'Acadie perdue* (1978) et sa synthèse de l'histoire acadienne *L'Acadie des origines à nos jours* (1982). Les écrits de Roy, souvent controversés en raison du pessimisme constant qui les traverse et de sa « critique sauvage » des élites acadiennes, ont marqué l'époque et sont encore souvent cités aujourd'hui. Léon Thériault est aussi un historien qui a versé dans l'essai et la synthèse historique. Trois textes écrits ou coécrits par Thériault ont été choisis : d'abord, son essai phare sur la situation politique de l'Acadie du Nouveau-Brunswick, *La question du pouvoir en Acadie* (1982), devenu depuis un classique sur la question ; le *Petit manuel d'histoire d'Acadie* (d'Entremont *et al.*, 1976), ouvrage écrit en collaboration avec les historiens Jean Daigle, Clarence d'Entremont et Anselme Chiasson, consacré à l'enseignement, et qui constitue la première version de l'histoire acadienne de cette cohorte d'historiens ; et, encore avec Jean Daigle, la *Synthèse historique* (1980), une version plus étoffée et académique de cette histoire[10]. La publication en 1980 de l'ouvrage collectif dirigé par Jean Daigle, *Les Acadiens des Maritimes*, constitue par ailleurs un moment phare non seulement de l'historiographie acadienne, mais également des études acadiennes en général ; il représente possiblement le premier ouvrage multidisciplinaire portant sur l'Acadie[11]. De Jean Daigle, nous avons également retenu l'étude portant sur les caisses populaires acadiennes, *Une force qui nous appartient*, publiée en 1990, ce qui en fait l'ouvrage le plus récent provenant de cette première cohorte. Finalement, l'essai de Régis Brun, *De Grand-Pré à Kouchibougouac* (1982), qui revient lui aussi, de manière polémique, sur les grandes lignes de l'histoire acadienne. Ces ouvrages adoptent plus souvent qu'autrement une perspective d'histoire politique propre à l'époque, sans pour autant, dans certains cas (Brun, Roy), faire abstraction des « oubliés de l'histoire ».

Le second corpus retenu pour analyse est composé des principaux textes issus de la génération d'historiens acadiens, qui, à partir de la seconde moitié des années 1980, vont amorcer la publication de différents travaux s'inscrivant davantage dans le créneau de l'histoire sociale que de l'histoire politique, et cherchant, parfois de manière très explicite, à rompre avec l'héritage laissé par la génération d'historiens précédente[12]. S'ensuivra une décennie – les années 1990 – forte de plusieurs contributions très importantes. Ces historiens n'ont jamais donné dans l'essai comme les Brun, Thériault et Roy des années 1980, mais ont privilégié plutôt l'étude spécialisée. Parmi les études publiées sous forme de recueil collectif, mentionnons *Moncton, 1871-1929*, sous la direction de Daniel Hickey (1990) et, quelques années après, *Économie et société en Acadie*, sous la direction de Jacques Paul Couturier et Phyllis Leblanc (1996), probablement l'ouvrage le plus représentatif des ambitions et de la perspective de ces historiens sur l'histoire acadienne[13]. Ces deux ouvrages collectifs ont la particularité de donner la parole à de jeunes historiens qui, au moment de la parution de ces ouvrages, étaient pour la plupart en début de carrière. On y trouve des études qui ont pour but d'écrire l'histoire sociale de l'Acadie en accordant une moindre attention à l'aspect national ou culturel, pour mieux situer cette histoire dans un contexte maritimien (particulièrement le recueil dirigé par Hickey). Les sujets abordés sont variés. Citons notamment l'histoire urbaine, l'histoire des femmes, du travail, du droit, etc., bref, des thématiques jusqu'alors peu explorées par l'historiographie acadienne et, dans la plupart des cas, tout simplement absentes. Outre les ouvrages collectifs, on a retenu ici quelques études plus spécifiques, notamment celle de Nicolas Landry, *Les pêches dans la péninsule acadienne* (1994), celle de Maurice Basque, *De Marc Lescarbot à l'AEFNB* (1994), sur l'histoire de la profession d'éducateur au Nouveau-Brunswick, ainsi que celle de Jacques Paul Couturier, *Construire un savoir* (1999), sur l'histoire du collège St-Louis Maillet. Au chapitre des ouvrages de vulgarisation, on a analysé le petit livre de Maurice Basque, Nicole Barrieau et Stéphanie Côté *L'Acadie de l'Atlantique* (1999).

Les deux corpus sont dissemblables sous plusieurs aspects, notamment par la forte présence des essais au sein du corpus du premier groupe, et par la présence plus importante d'études plus spécialisées dans le second groupe. On a tenté de répartir également les différents types d'ouvrages, pour obtenir un portrait qui soit, dans les limites du possible, complet et représentatif de l'esprit historien qui anime chaque groupe. Le fait que le premier groupe compte bon nombre d'essais et de synthèses, alors que les études spécialisées sont plus nombreuses dans le second constitue déjà un indice des différences qui les séparent.

Afin déterminer la nature des influences actives sur les œuvres des historiens en question, les références ont été regroupées en cinq catégories récurrentes dans les textes analysés. La première catégorie, prédominante, est proprement acadienne. Elle comprend les références qui traitent de l'Acadie et dont les auteurs sont liés d'une manière ou d'une autre à des institutions acadiennes (par exemple, l'Université de Moncton). Les références maritimiennes comprennent les textes qui traitent d'un aspect ou l'autre de la réalité maritimienne, ou encore dont les auteurs proviennent des Maritimes. Les sources provenant des gouvernements provinciaux sont également incluses dans cette catégorie. La troisième catégorie est constituée de textes dont les auteurs proviennent du Québec, donc la majorité de toutes les références francophones non acadiennes et non européennes qui sont rencontrées dans les corpus. La quatrième catégorie comprend toutes les références anglophones qui proviennent du Canada anglais, ou encore des références qui concernent les publications ou les archives fédérales. Finalement, la dernière catégorie, les références internationales, est constituée dans la très grande majorité des cas d'auteurs européens ou américains.

Il importe de souligner ici, avant d'aller plus avant dans l'analyse, les limites inhérentes à une telle approche et la nécessaire relativisation que l'on doit apporter à de tels résultats. Si l'étude de la récurrence des références savantes retenues permet, certes, un aperçu des influences intellectuelles venues de l'extérieur sur le champ historien acadien depuis les années 1970, elle ne permet que cela, justement, un aperçu. On ne peut jamais totalement mesurer une influence, et le simple fait de relever sa fréquence d'apparition dans différents ouvrages ne peut que nous donner une impression nécessairement limitée de ces influences, sans passer par une approche davantage qualitative ou interprétative. Par exemple, un auteur ne peut être cité qu'une seule fois, mais posséder dans le raisonnement de l'historien un poids plus lourd qu'un autre auteur cité dix fois; le lieu de parution d'une étude citée peut indiquer une influence exogène, mais pas nécessairement. En fait, notre approche, malgré ses limites et ses imperfections, sert surtout de moyen pour tenter de mieux comprendre le travail des influences extérieures sur l'historiographie acadienne des dernières décennies[14].

Le poids des références

Un simple coup d'œil sur la répartition des références des deux groupes d'historiens dans les cinq catégories retenues nous indique déjà certaines tendances fortes que se partagent les membres de chaque groupe. L'observation du positionnement du premier groupe d'historiens acadiens face aux influences intellectuelles et aux matériaux historiques et historiographiques permet de constater la place relativement maigre que l'on accorde aux sources provenant de l'Acadie. Comme l'illustre le tableau 1, le pourcentage de l'espace consacré aux références acadiennes ne dépasse jamais, sauf dans deux cas, le cap des 50 % (le cas de la *Synthèse historique* l'atteint, certes, mais de justesse; le *Petit manuel* dépasse le cap des 50 %, mais surtout grâce à la dernière section rédigée par Anselme Chiasson). Ce qui peut paraître surprenant, surtout en ce qui concerne des ouvrages qui portent sur un aspect ou l'autre de la réalité acadienne.

Outre le cas du livre de Jean Daigle sur les coopératives, un autre texte du corpus contient davantage de références maritimiennes qu'acadiennes. La synthèse historique publiée dans *Les Acadiens des Maritimes* et dirigée par Daigle en 1980 présente une différence de 4,5 % entre la proportion de références québécoises et maritimiennes, en faveur de ces dernières. Outre cet exemple, les références québécoises sont plus nombreuses que les maritimiennes.

Tableau 1
Répartition des références intellectuelles, savantes et archivistiques dans quelques ouvrages d'histoire acadienne, 1970-1980

	Acadie	Maritimes	Québec	ROC	International	Total
De Grand-Pré à Kouchibougouac	110 (46 %)	28 (11,5 %)	48 (20 %)	27 (11 %)	24 (10,5 %)	237
L'Acadie perdue	44 (20 %)	15 (7 %)	25 (12 %)	5 (2,5 %)	119 (57,5 %)	208
L'Acadie des origines à nos jours	152 (40 %)	47 (12,5 %)	96 (25 %)	18 (5 %)	68 (18 %)	381
Petit manuel d'histoire acadienne	89 (61,5 %)	18 (12,5 %)	26 (18 %)	4 (2,5 %)	8 (5,5 %)	145
La question du pouvoir en Acadie	43 (41,5 %)	10 (10 %)	16 (16 %)	16 (15,5 %)	18 (17,5 %)	103
Synthèse historique	124 (50,5 %)	42 (17 %)	31 (12,5 %)	22 (9 %)	26 (10,5 %)	245
Une force qui nous appartient	552 (82 %)	80 (12 %)	24 (3,5 %)	14 (2 %)	3 (0,3 %)	673

Autre point d'intérêt, les références canadiennes autres que québécoises, maritimiennes ou acadiennes (celles du ROC [*Rest of Canada*]) sont assez peu nombreuses au sein de ces textes clés, dépassant rarement, dans deux cas seulement, les 10 % (*La question du pouvoir en Acadie* de Thériault, et *De Grand-Pré à Kouchibougouac* de Brun). Par contre, les références de provenance internationale (dans la majorité des cas, des États-Unis ou de la France) dépassent chez tous les auteurs (sauf Daigle, encore ici) les 10 %, pour atteindre un niveau assez étonnant de 57,5 % dans *L'Acadie perdue*, de Michel Roy.

Il importe cependant, et j'espère qu'on pardonnera cette petite digression, de revenir sur quelques caractéristiques propres à cette œuvre, ce qui permettrait de mieux expliquer pourquoi il se démarque des autres textes. Si Michel Roy semble se contenter de références savantes principalement québécoises, du moins si l'on se reporte à ses bibliographies, il faut toutefois tenir compte du fait que ses textes sont continuellement parsemés de références intellectuelles « internationales » (principalement françaises), qui proviennent de plusieurs disciplines et époques. Ainsi, on passe aisément de Braudel à Marx, de Foucault à Montesquieu, de Ricœur à Erikson, etc. L'utilisation constante de ce type de références, nombreuses dans *L'Acadie perdue*, situe la réflexion sur l'Acadie au niveau de l'universel, et plus spécifiquement à l'intérieur du cadre de l'histoire intellectuelle, culturelle et « réelle » de la modernité occidentale. Elle sert surtout d'outil de confrontation à une histoire acadienne et à une pensée – celle des élites acadiennes – qui n'ont pas été à même de relever, selon Roy, le défi de la modernité et qui n'ont pas été à la hauteur de la comparaison des « vraies » sociétés modernes et de leurs intellectuels. Évidemment, à citer côte à côte des gens qui sont pourtant de la même époque mais qu'un univers entier sépare, l'Acadien y perd au change. Que Pascal Poirier ait été l'un des intellectuels acadiens, parmi ses pairs, les plus cohérents et les plus polyvalents de son époque, ne change rien au fait qu'il fait bien pâle figure au côté de Freud ou de Bergson.

Michel Roy adopte, face à son objet acadien, non seulement, selon ses propres termes, le point de vue du « peuple » ou encore des « dépossédés », comme l'écrit François Dumont dans un commentaire, mais également et surtout le regard d'un observateur placé tout en haut de sa culture seconde, la confrontant à une autre culture seconde, celle, certainement de moindre ampleur, de la petite bourgeoisie acadienne, catholique et conservatrice. Son essai semble être avant tout un appel vers l'universel, un appel pour son auteur d'autant plus criant qu'il ne réussit à percevoir, au sein de la culture et de l'histoire acadiennes, qu'une série « d'absences graves » et de « trous noirs ». « [...] La liste serait inépuisable de toutes les absences graves, des "trous noirs" qu'il y avait dans la trame de nos études, des idées et des hommes frappés d'ostracisme ou stigmatisés au fer des préjugés. Ce qui n'empêche pas du tout les notables acadiens d'être absolument convaincus du contraire. Écoutons l'un d'entre eux au nom de tous les autres : "... l'Acadie a été bénie de posséder ces universités catholiques et françaises, qui sont des foyers de lumière, de science et de vérité..." » (Roy, 1978 : 48)[15].

La seconde série de textes semble, à première vue, être affectée différemment par les sources extérieures. La lecture du tableau 2 indique l'espace beaucoup plus important qu'occupent les références acadiennes au sein du corpus. Là où seulement deux des textes du corpus précédent pouvaient prétendre dépasser la barre des 50 % (un troisième l'atteint de justesse), ici seulement deux textes ne l'atteignent pas. Le phénomène s'explique par la nature spécifique de l'objet et des

Tableau 2

Répartition des références intellectuelles, savantes et archivistiques dans quelques ouvrages d'histoire acadienne, 1990-2000

	Acadie	Maritimes	Québec	ROC	International	Total
Moncton 1871-1929	42 (11,5 %)	187 (51,5 %)	24 (7 %)	97 (26,5 %)	14 (4 %)	364
Les pêches dans la péninsule acadienne	147 (30,5 %)	61 (12,5 %)	22 (4,5 %)	240 (50 %)	9 (1,5 %)	479
Économie et société en Acadie	448 (52 %)	100 (11,5 %)	40 (4,5 %)	235 (27,5 %)	33 (4 %)	856
L'Acadie de l'Atlantique	190 (90 %)	8 (4 %)	3 (1,5 %)	8 (4 %)	2 (1 %)	211
Histoire de l'Acadie	146 (74,5 %)	18 (9 %)	3 (1,5 %)	23 (11,5 %)	6 (3 %)	196
Construire un savoir	767 (74,5 %)	202 (19,5 %)	36 (3,5 %)	25 (2,5 %)	1 (0,1 %)	1031
De Marc Lescarbot à l'AEFNB	366 (78,5 %)	79 (17 %)	7 (1,5 %)	10 (2 %)	4 (1 %)	466

matériaux à partir desquels sont construites ces études. L'ouvrage dirigé par Daniel Hickey tente davantage de saisir une réalité urbaine propre à la région maritimienne, la présence linguistique ou culturelle des groupes en question étant d'un intérêt secondaire. La proportion des références maritimiennes l'atteste (51,5 %). Celui de Nicolas Landry est construit à partir de sources primaires souvent tirées de rapports gouvernementaux fédéraux, ce que la proportion de références indique aussi (50 % de références canadiennes). Outre ces deux exceptions, l'ensemble des textes contient, contrairement au premier corpus, au-delà de 50 % de références acadiennes.

Concernant les différences qui touchent la présence de sources provenant du Québec ou des Maritimes, le contenu des textes indique que, contrairement au premier corpus, les historiens du second groupe, sauf un cas, se sont davantage référés à des textes provenant des Maritimes plutôt que du Québec. Exception faite de *L'Acadie de l'Atlantique*, qui se fonde presque exclusivement sur des sources acadiennes, la différence entre la proportion de sources québécoises et maritimiennes est dans tous les cas d'au moins 7 %. Cela représente une différence beaucoup plus importante que dans le cas du premier corpus (tableau 1), où certains des ouvrages se référaient davantage, comme ici, aux sources maritimiennes que québécoises (la *Synthèse historique* et *Une force qui nous appartient*).

La quantité de références internationales établit aussi une différence notable entre les deux corpus. On n'outrepasse jamais le cap des 5 %, et ce, dans tous les textes. Cette unité contraste avec la présence plus importante des références internationales au sein du premier corpus, accentuée par *L'Acadie perdue*, mais ayant également une forte présence dans les autres ouvrages. Or l'observation du tableau 2 illustre le peu de place qu'occupent les références internationales au sein des textes de la seconde cohorte d'historiens. Cette différence est d'autant plus claire lorsque l'on compare côte à côte les moyennes des pourcentages pour chaque catégorie de références qu'obtiennent les deux groupes d'historiens (tableau 3).

Tableau 3
Moyennes comparées des pourcentages consacrés par chaque groupe d'historiens à chaque catégorie de références

	Acadie	Maritimes	Québec	ROC	International
Groupe 1	49 %	12 %	15 %	7 %	17 %
Groupe 2	59 %	18 %	3,5 %	17, 5	2 %

En fait, l'intervalle éloignant les deux groupes se manifeste, à la suite de ce premier aperçu autour de quelques aspects clés, comme l'importance accordée aux sources acadiennes, plus grande chez les historiens plus jeunes, ou encore l'espace prépondérant alloué aux références québécoises du côté du groupe 1, alors que le groupe 2 privilégie les références maritimiennes. Notons ici (tableau 3) l'ampleur de l'écart entre la proportion moyenne de chaque type de références au sein des deux groupes : le groupe 1 ne préfère, en moyenne, les références québécoises que par 3 %, alors que le groupe 2 se base sur des références maritimiennes 14 % plus souvent que sur des références québécoises. Il semble donc, à première vue, que les historiens du groupe 2 soient beaucoup plus réticents à utiliser des références québécoises que les historiens du groupe 1 à utiliser des références maritimiennes. Une autre constatation que l'on pourra tirer de l'observation de ces données est la tendance, plus importante chez les historiens du groupe 2, à tirer bénéfice des références historiographiques canadiennes-anglaises, alors que l'intérêt pour les références internationales n'y est pas très notable. D'autre part, les historiens du groupe 1 accordent plus de poids aux références internationales, mais moins aux références canadiennes-anglaises.

Ces conclusions provisoires appellent des éclaircissements. En effet, comme nous l'avons déjà mentionné, les ouvrages retenus sont de nature différente et ne poursuivent pas tous les mêmes finalités. Certains essais tentent de convaincre et de persuader, d'autres, des recueils d'études, sont savants et s'adressent exclusivement au monde universitaire. D'autres encore sont des ouvrages de synthèse ayant pour but de faire le point sur l'état de la recherche et de présenter une vision cohérente d'un objet temporel de vaste durée (l'histoire de l'Acadie). Finalement, des ouvrages de vulgarisation ou encore des manuels s'y retrouvent, dont le but premier n'est pas de faire montre d'érudition, encore moins d'être une vitrine pour les découvertes historiographiques les plus récentes. Le nombre de références présentes dans chaque ouvrage indique leur diversité et, parfois même, leur dissemblance. Ce nombre en lui-même peut révéler quel poids ont les références de différentes provenances utilisées par les historiens, mais est-ce vraiment dû à des choix guidés par des positionnements relevant de l'épistémologie ou de la méthodologie, ou peut-être, plus prosaïquement, à la nature même des objets choisis ? Par exemple, la recherche de Nicolas Landry sur les pêcheries se fonde en grande partie sur des sources gouvernementales, ce qui explique la place importante qu'y occupent les références canadiennes-anglaises. L'étude de Jean Daigle sur les coopératives et celle de Jacques Paul Couturier sur l'histoire du collège St-Louis Maillet se ressemblent plus que les autres études de leur propre groupe. Dans ces deux ouvrages, les références sont surtout acadiennes (et un peu de provenance maritimienne), à cause du fait que l'on se fonde principalement sur des sources primaires de provenance acadienne, en l'occurrence les fonds d'archives des associations des caisses populaires acadiennes ou encore les fonds des institutions collégiales de la province. Les sources de ces deux ouvrages sont en majorité primaires : 92 % dans le texte de Couturier, 78 % dans celui de Daigle. Or peut-on vraiment mesurer l'influence à partir de sources premières ?

On ne peut donc écarter la possibilité que la répartition des références secondaires puisse donner un autre résultat, qui permettrait de comprendre différemment les rapports qu'entretiennent les historiens avec d'autres traditions historiographiques potentiellement influentes. Par le poids de leur présence, les sources secondaires sont peut-être plus à même d'offrir un portrait plus juste des influences extérieures.

L'observation des proportions de références secondaires concernant le premier groupe d'historiens ne permet pas de noter de changements significatifs en lien avec les observations précédentes, sauf pour quelques cas. On remarque, d'une part, que la proportion de références consacrées à l'Acadie diminue pour chaque texte, de manière variable d'un cas à l'autre, les diminutions les plus importantes se manifestant dans les textes de Léon Thériault (*La question du pouvoir...*, de 41,5 % à 17,5 %) et de Jean Daigle (*Une force...*, de 82 % à 11,5 %) (tableau 4). Ces diminutions dans les textes de Thériault et de Daigle s'expliquent par le fait qu'ils se fondent davantage sur les sources primaires que les autres textes du groupe 1. Dans le texte de Thériault, on remarque une diminution des proportions de références pour chaque catégorie; dans le texte de Daigle, cette diminution s'observe principalement dans la catégorie maritimienne, les autres pourcentages étant initialement déjà très bas.

La comparaison conduit à la constatation que le second groupe dépend davantage, en moyenne, de sources primaires. Si les proportions de références acadiennes chutent en ne tenant compte que des sources secondaires (tableau 5), certains textes sont plus touchés que d'autres, notamment le recueil de Couturier et Leblanc, *Économie et société en Acadie* (qui passe de 52 % à 14,5 % de références acadiennes), ou encore *Construire un savoir*, de Couturier (qui passe de 74,5 % à 4,5 %). Et si, pour la plupart des ouvrages concernés, le retrait des sources primaires fait effectivement diminuer le poids des sources maritimiennes, de façon cependant moins importante que pour les références acadiennes (sauf les cas des ouvrages de Hickey et Couturier), le poids des références québécoises, déjà très bas, ne diminue presque pas, jamais de plus de 2 %. Les pourcentages de l'espace consacré aux références canadiennes-anglaises sont ici aussi plus faibles lorsqu'on ne considère que les références secondaires, mais pour ce qui est du domaine international, déjà très peu présent chez les historiens du groupe 2, sa présence reste la même lorsque l'on retire les références primaires du décompte.

Au total, le portrait est-il foncièrement différent, après avoir séparé les références secondaires des références primaires? Le tableau 6 indi-

Tableau 4
Répartition des références secondaires dans quelques ouvrages d'histoire acadienne, 1970-1980

	Acadie	Maritimes	Québec	ROC	International
De Grand-Pré à Kouchibougouac	88 (37 %)	17 (7 %)	42 (17,5 %)	22 (9 %)	22 (9,5 %)
L'Acadie perdue	22 (10 %)	15 (7 %)	21 (10 %)	4 (2 %)	118 (57 %)
L'Acadie des origines à nos jours	122 (32 %)	40 (10,5 %)	87 (23,5 %)	17 (4,5 %)	68 (18,5 %)
Petit manuel d'histoire acadienne	73 (50,5 %)	18 (12,5 %)	25 (17 %)	2 (1,5 %)	8 (5,5 %)
La question du pouvoir en Acadie	18 (17,5 %)	4 (4 %)	7 (7 %)	4 (4 %)	13 (12,5 %)
Synthèse historique	86 (35 %)	37 (15 %)	26 (10,5 %)	20 (8 %)	25 (10 %)
Une force qui nous appartient	76 (11,5 %)	50 (7,5 %)	21 (3 %)	8 (1 %)	2 (0,2 %)

Tableau 5
Répartition des références secondaires dans quelques ouvrages d'histoire acadienne, 1990-2000

	Acadie	Maritimes	Québec	ROC	International
Moncton 1871-1929	32 (9 %)	31 (8,3 %)	24 (7 %)	15 (4 %)	14 (4 %)
Les pêches dans la péninsule acadienne	58 (12 %)	36 (7,5 %)	12 (2,5 %)	99 (20,5 %)	9 (1,5 %)
Économie et société en Acadie	126 (14,5 %)	23 (2,5 %)	36 (4 %)	42 (5 %)	31 (3,5 %)
L'Acadie de l'Atlantique	190 (90 %)	8 (4 %)	3 (1,5 %)	8 (4 %)	2 (1 %)
Histoire de l'Acadie	64 (32,5 %)	15 (7,5 %)	3 (1,5 %)	10 (5 %)	6 (3 %)
Construire un savoir	48 (4,5 %)	7 (0,5 %)	28 (2,5 %)	3 (0,5 %)	1 (0,1 %)
De Marc Lescarbot à l'AEFNB	202 (43 %)	59 (12,5 %)	7 (1,5 %)	10 (2 %)	4 (1 %)

Tableau 6
Moyennes comparées des pourcentages de références secondaires consacrés par chaque groupe d'historiens à chaque catégorie de références

	Acadie	Maritimes	Québec	ROC	International
Groupe 1	24 %	9 %	12,5 %	4,5 %	16 %
Groupe 2	27,5 %	6 %	3 %	6 %	2 %

que toujours que les références québécoises sont plus populaires au sein du groupe 1, et que les références maritimiennes le sont davantage auprès du groupe 2. Nonobstant cette continuité, le portrait est plus clair. Les historiens du groupe 1 utilisaient particulièrement les références québécoises et maritimiennes en tant que références secondaires ; la proportion de références québécoises ne dépasse que de 3 % en moyenne celle des références maritimiennes. Ceux du groupe 2 ne préfèrent les références maritimiennes aux québécoises que de 3 %, une différence qui diminue considérablement lorsqu'on ne retient que les sources secondaires (elle passe de 13,5 % à 3 %, alors que le groupe 1 maintient un écart de 3 % entre les références québécoises et maritimiennes, avec ou sans l'isolement des références secondaires). Le tableau 6 indique également que l'écart entre les proportions moyennes qu'occupent, au sein des textes, les références canadiennes-anglaises diminue de façon accrue entre les deux groupes observés. Ils sont séparés l'un de l'autre par seulement 1,5 %. Ici aussi, le fait de ne considérer que les sources secondaires diminue la part moyenne des références qui y sont consacrées au sein du groupe 2.

Le déclin d'une influence

L'Acadie a connu quelques transformations d'importance durant les dernières décennies, et le début des années 1980 marque certainement un tournant, un moment où maints projets (Convention d'orientation nationale de l'Acadie , Parti acadien) ou institutions (*L'Évangéline*) connaissent une fin abrupte. La profession historienne, ne l'oublions pas, s'intéresse au passé, mais se situe bel et bien dans le présent. La décennie bien entamée, une fois remise des illusions perdues, la discipline historienne en Acadie troque l'histoire politique pour l'histoire sociale. Or l'histoire politique acadienne – et du même coup l'histoire comme produit d'une Acadie politique – présentait une forte attache aux idéologies politiques québécoises, et cela s'observait un peu partout dans les discours sociaux, dont évidemment l'histoire écrite fait partie. L'échec retentissant des versions québécoises des idéologies politiques qu'affectionnait tant l'intelligentsia acadienne des années 1970, comme l'indépendantisme politique ou les utopies de la gauche, ne sera pas sans effet sur l'ensemble des représentations acadiennes et, en particulier, sur l'historiographie. Dorénavant le Québec ne sera plus perçu comme un pays de cocagne, et la symbolique forte que pouvait exercer la province s'estompera progressivement au sein de l'imaginaire acadien au profit d'une autre symbolique forte, celle d'un grand pays *coast-to-coast,* à l'intérieur de laquelle l'Acadie, comme l'ensemble des minorités canadiennes, a certainement sa place[16]. La culture savante s'en ressentira. Les historiens éprouveront moins le poids de cette symbolique québécoise, essentiellement politique, et en profiteront pour étudier l'Acadie sous un jour nouveau, où la politique, les institutions et les actions significatives au niveau collectif sont laissées de côté au profit de situations, de contextes, de conjonctures, de réalités sociales qui sont loin de ne toucher que les Acadiens. Ainsi, une fois la nation en retrait (en Acadie comme au Québec, d'ailleurs), on a beau jeu de se pencher de manière savante sur des thématiques autrefois boudées par les historiens et, ce faisant, d'avoir soudainement accès à des travaux et à des sources qui auparavant paraissaient inintéressantes[17]. Prendre en considération l'urbanisation, par exemple, signifie tenir compte d'un ensemble de travaux de recherche pertinents, et ce, peu importe s'ils portent de façon spécifique sur la réalité acadienne ou non. Il s'agit d'abord de bien comprendre le phénomène en question, selon les postulats épistémologiques et méthodologiques de l'histoire sociale, pour ensuite voir en quoi ce phénomène joue un rôle significatif dans une relecture du passé acadien. Il est, par conséquent, logique et naturel de profiter de la documentation maritimienne disponible.

Le recensement des références dans le corpus choisi est là-dessus éclairant. Outre le fait que les historiens du groupe 1 utilisent davantage les références québécoises que maritimiennes, et vice-versa pour le groupe 2, on remarque également que les historiens du groupe 2 utilisent davantage de sources primaires dans leurs travaux que ceux du premier groupe (il suffit de comparer les pourcentages des tableaux 3 et 6). Serait-ce dû à une volonté de faire une histoire acadienne plus précise, plus « pointilleuse », comme l'écrivait Couturier, ou est-ce simplement dû au grand nombre d'essais qui composent le premier corpus (rappelons tout de même les nombreuses références primaires dans le texte de Daigle) ? Les références primaires utilisées par le groupe 1 sont en majorité acadiennes, alors que celles du groupe 2 ne le sont pas nécessairement. Quelle qu'en soit l'origine véritable, il s'agit néanmoins d'une différence à souligner entre les deux cohortes d'historiens.

Deux catégories ont été quelque peu délaissées lors de l'analyse : les références canadiennes-anglaises et internationales. Concernant les premières, les promoteurs de l'histoire sociale en Acadie leur accordent plus de place que les praticiens de l'histoire politique et ils ont su se servir davantage des sources primaires auxquelles ils avaient accès. On peut, d'une part, interpréter ce changement comme un prolongement de la « maritimisation » de l'historiographie acadienne – on s'intéresse davantage aux conjonctures et aux situations sociales (le travail, la condition féminine, l'urbanisation, l'industrialisation, etc.) qu'aux actions collectives à portée politique, il est donc normal que ces situations et conjonctures traversent les frontières acadiennes pour être comparées à des situations semblables à l'intérieur du pays – et, d'autre part, comme une volonté d'amener une contribution acadienne à l'historiographie canadienne comme telle[18]. Les différents rapports qu'entretiennent les historiens acadiens avec les sources secondaires internationales sont, eux aussi, assez explicites : on n'hésite pas à avoir largement recours aux auteurs européens ou américains lorsque l'on fait l'histoire politique de l'Acadie à la fin des années 1970 ou au début des années 1980, alors qu'on cesse pratiquement de s'y référer par la suite. À défaut d'expliquer cette particularité, on peut toutefois émettre une hypothèse : l'historiographie acadienne des années 1970 était liée de près à un projet politique flou, mais tout de même orienté vers l'accès à une plus grande autonomie politique pour les Acadiens du Nouveau-Brunswick ; dans le récit historien, la référence internationale semble avoir une fonction de légitimation du discours et du projet politique, en en universalisant la portée générale[19]. L'effondrement de ces velléités politiques pourrait expliquer, partiellement du moins (et j'insiste sur le *partiellement*), la diminution considérable de cet usage de la référence internationale chez les historiens.

Se situer en marge des centres peut vouloir dire revisiter et interroger à l'occasion les influences qui font autorité. Au sein du discours historiographique contemporain, l'influence québécoise tient pour peu, l'influence maritimienne l'ayant supplantée au cours des dernières décennies. À la lumière de ce constat, il est difficile de ne pas y voir, entre autres mais pas seulement, un symptôme du fossé toujours grandissant qui sépare le Québec du reste des francophonies canadiennes. À cet égard, il semble bien qu'aux yeux des historiens contemporains, le discours historiographique maritimien soit beaucoup plus proche de la réalité acadienne que le discours québécois, et de ce fait, plus pertinent.

NOTES

1. Plusieurs ouvrages, assez anciens, d'historiens canadiens-français abordant l'histoire acadienne peuvent être cités en exemple. Mentionnons Henri-Raymond Casgrain (1887), Benjamin Sulte (1930), Édouard Richard (1895), Lionel Groulx (1935) et Antoine Bernard (parmi plusieurs ouvrages) (1936).

2. Voir Julien Massicotte (2009).

3. Pour un aperçu clair du projet historiographique alors en émergence, voir les textes suivants : Jacques Paul Couturier (1987a, 1987b, 1996).

4. Voir Pascal Buckner (1971). Ces transformations au sein de l'historiographie maritimienne feront rapidement effet dans le domaine de l'histoire en Acadie ; consulter sur le sujet Naomi Griffith (1982).

5. Voir Jean-Philippe Warren et Yves Gingras (2007), Martin Pâquet (2007), et Julien Massicotte (2007).

6. Le cas de la sociologie s'applique également. Là-dessus, voir Julien Massicotte (2008).

7. Pour la suite de l'analyse, on référera aux historiens ayant amorcé leur carrière professionnelle durant les années 1960 et 1970 comme étant le « groupe 1 », et ceux de la génération suivante comme le « groupe 2 ».

8. Certains textes retenus, et je pense ici spécifiquement à ceux de Michel Roy, ne contiennent que très peu de notes, mais beaucoup de références dans le texte, ce qui explique en partie ces critères.

9. Plusieurs de ces textes sont abordés dans Julien Massicotte (2005). Il est indéniable qu'au sein d'un champ historien passablement petit comme celui de l'Acadie, la parution de synthèses et d'essais historiques se fait plus rare, leur importance au sein du champ n'en est que plus grande. On

admet le caractère arbitraire du choix de ne retenir que quatorze ouvrages ; il aurait aussi été possible de travailler avec un corpus construit à partir d'articles savants, ou de choisir d'autres ouvrages que ceux retenus. Toutefois, étant donné la taille de la production historienne acadienne des dernières décennies, il aurait été difficile d'exclure certains textes. On pense à ceux de Thériault, de Daigle ou de Roy, ou encore à ceux de Couturier, de Landry ou de Lang. Ces recherches ont été et sont encore influentes à l'intérieur du champ historien. Elles proposent parfois des interprétations du passé polémiques et vivement contestées (Roy). Parfois ce sont des ouvrages à teneur programmatique qui cherchent à redéfinir le champ (Couturier et Leblanc), ou encore des synthèses qui servent de références (et souvent de modèles) à presque tous les travaux ultérieurs (Thériault et Daigle, Landry et Lang).

10. La seconde édition de ce texte, publié en 1993, n'a pas été retenue. La version initiale reflète mieux l'esprit de l'époque et permet ainsi d'avoir une meilleure prise sur les influences extérieures s'exerçant alors.

11. Bien que plusieurs textes de ce volume traitent d'un aspect ou d'un autre de l'Acadie de manière historique, nous n'avons retenu que les textes de Thériault et de Daigle, qui se situent dans le champ historiographique acadien, au contraire des autres textes.

12. Voir le texte programmatique de Couturier (1987a).

13. La césure entre les deux générations d'historiens est particulièrement claire, au moment de la publication de ces ouvrages, soit aux alentours de la première moitié des années 1990. Comme le note, par ailleurs, Couturier, le fait que Daigle, dans *L'Acadie des Maritimes* de 1993, n'ait pas jugé souhaitable d'inclure la contribution d'aucun de ces historiens alors en ascension (alors qu'il aurait été vraisemblable de le faire), illustre bien la césure qui sépare les deux générations de chercheurs, l'« impact très limité sur la construction du discours historiographique » des travaux de ces historiens au début des années 1990. Voir Couturier (1996 : 193).

14. Des études plus qualitatives ont abordé la question de l'historiographie acadienne récente. Voir celles de Patrick Clarke (2000), de Serge Côté (1999), de Julien Massicotte (2005), d'Annette Boudreau et Mourad Ali-Khodja (dir.) (2009).

15. François Dumont, dans un commentaire sur l'œuvre de Roy, relève cette même propension à se servir de l'universel pour montrer les limites de l'Acadie qui conteste et critique : « Roy cherchera tout au long de son ouvrage à entretenir cette multiplicité des voix et cette hauteur de vues. Il le fera notamment en citant à plusieurs reprises des textes qui sont présentés comme des interventions de portée universelle » (2006 : 49).

16. Ce n'est pas le lieu ici de tracer un historique de la représentation de la symbolique canadienne au sein des élites acadiennes des années 1960 et

1970, mais rappelons tout de même quelques faits saillants : le doctorat honorifique de l'Université de Moncton décerné à Pierre Elliott Trudeau en 1969, ou encore le mépris du premier ministre Louis Robichaud pour les « séparatistes » québécois, inversement proportionnel à son admiration des politiques trudeauistes (voir à ce propos le livre de Michel Cormier [2004]). La présence de cette symbolique canadienne est souvent abordée (et, dans certains cas, vertement critiquée) dans le cadre des essais d'historiens comme Léon Thériault ou Michel Roy.

17. On pourra noter le poids de la formation québécoise chez les historiens acadiens en ce qui a trait au rapport que l'on entretient à la nation. L'influence de la « nouvelle histoire » a été notable chez des historiens de plusieurs sociétés, mais il est possible de penser que celle-ci a sans doute été renforcée, dans le cas des historiens acadiens, par leur formation dans les universités québécoises au cours des années 1980, période par excellence de l'hégémonie de l'histoire sociale dans le champ historien québécois, marqué par la parution de plusieurs travaux de recherche, dont *Histoire du Québec contemporain*, de Linteau, Durocher et Robert (1989).

18. Une volonté qui s'exprime en plusieurs endroits, mais notamment dans le texte de Couturier, « L'Acadie, c'est un détail », dont le postulat de départ semble être : l'histoire acadienne a sa place au sein d'une histoire canadienne plus large. À l'inverse, on peut déceler dans plusieurs passages de *L'Acadie perdue* de Roy une hargne explicite envers l'inclusion de l'histoire acadienne au sein d'un récit canadien plus large.

19. Encore une fois, je réfère le lecteur aux textes de Michel Roy (1978, 1982), qui sont des plus éclairants à cet égard.

BIBLIOGRAPHIE

L'Action nationale, vol. LXVII, n° 10 (1978).

ARSENAULT, Bona (1955). *L'Acadie des ancêtres*, Québec, Conseil de la vie française.

BASQUE, Maurice (1994). *De Marc Lescarbot à l'AEFNB*, Edmundston, Éditions Marévie.

BASQUE, Maurice, Nicole BARRIEAU et Stéphanie CÔTÉ (1999). *L'Acadie de l'Atlantique*, Moncton, Centre d'études acadiennes.

BERNARD, Antoine (1936). *Le drame acadien*, Montréal, Les clercs de St-Viateur.

BOUDREAU, Annette, et Mourad ALI-KHODJA (dir.) (2009). *Lectures de l'Acadie: une anthologie de textes en sciences humaines et sociales, 1960-1994*, Montréal, Fides.

BRUN, Régis (1982). *De Grand-Pré à Kouchibougouac*, Moncton, Éditions d'Acadie.

BUCKNER, Pascal (1971). « Acadiensis II », *Acadiensis*, vol. I, n° 1 (automne), p. 3-9.

CASGRAIN, Henri-Raymond (1887). *Un pèlerinage au pays d'Évangéline*, Québec, L. J. Demers.

CLARKE, Patrick (2000). « L'Acadie perdue or Maritime History's Other », *Acadiensis*, vol. XXX, n° 1 (automne), p. 73-91.

CORMIER, Michel (2004). *Louis Robichaud, la révolution acadienne*, Montréal, Leméac.

CÔTÉ, Serge (1999). « Une Acadie inquiète », *Acadiensis*, vol. XXIX, n° 1 (automne), p. 157-194.

COUTURIER, Jacques Paul (1987a). « Faire de l'histoire: la perspective de jeunes historiens », dans Jacques Lapointe et André Leclerc (dir.), *Les Acadiens: état de la recherche*, Québec, Conseil de la vie française en Amérique, p. 234-242.

COUTURIER, Jacques Paul (1987b). « Tendances actuelles de l'historiographie acadienne (1970-1985) », *Historical Papers = Communications historiques*, vol. 22, n° 1, p. 230-250.

COUTURIER, Jacques Paul (1996). « La production de mémoires et de thèses en histoire acadienne, 1960-1994: analyses et conjectures », dans Jacques Paul Couturier et Phyllis E. Leblanc (dir.), *Économie et société en Acadie, 1850-1950*, Moncton, Éditions d'Acadie, p. 187-194.

COUTURIER, Jacques Paul (1999). *Construire un savoir*, Moncton, Éditions d'Acadie.

COUTURIER, Jacques Paul (2003). « L'Acadie, c'est un détail: les représentations de l'Acadie dans le récit national canadien », dans André Magord (dir.), *L'Acadie plurielle*, Moncton, Centre d'études acadiennes, p. 43-74.

COUTURIER, Jacques Paul et Phyllis E. LEBLANC (dir.) (1996). *Économie et société en Acadie, 1850-1950*, Moncton, Éditions d'Acadie.

DAIGLE, Jean (1980). « L'Acadie 1604-1763: synthèse historique », dans Jean Daigle (dir.), *Les Acadiens des Maritimes*, Moncton, Centre d'études acadiennes, p. 17-48.

DAIGLE, Jean (1990). *Une force qui nous appartient: la Fédération des caisses populaires acadiennes, 1936-1986*, Moncton, Éditions d'Acadie.

D'ENTREMONT, Clarence, *et al.* (1976). *Petit manuel d'histoire d'Acadie*, Moncton, Librairie acadienne.

DUMONT, François (2006). « Littérature et histoire dans l'Acadie perdue », dans Madeleine Frédéric et Serge Jaumain (dir.), *Regards croisés sur l'histoire et la littérature acadiennes*, Bruxelles, Peter Lang, p. 47-54.

GRIFFITH, Naomi (1982). « L'École des Annales et l'histoire de l'Acadie », *Canadian Studies = Études canadiennes*, vol. 13, p. 113-118.

GROULX, Lionel (1935). *Notre maître le passé*, Montréal, Granger.

HAMELIN, Jean, et Yves ROBY (1971). *Histoire économique du Québec*, Montréal, Fides.

HARVEY, Fernand (2000). « Les historiens canadiens-français et l'Acadie, 1859-1960 », dans Fernand Harvey et Gérard Beaulieu (dir.), *Les relations entre le Québec et l'Acadie, 1880-2000*, Québec, Les Presses de l'Université Laval ; Moncton, Éditions d'Acadie.

HICKEY, Daniel (dir.) (1990). *Moncton, 1871-1929 : changements socio-économiques dans une ville ferroviaire*, Moncton, Éditions d'Acadie.

LANDRY, Nicolas (1994). *Les pêches dans la péninsule acadienne*, Moncton, Éditions d'Acadie.

LANDRY, Nicolas, et Nicole LANG (2001). *Histoire de l'Acadie*, Québec, Éditions du Septentrion.

Liberté, vol. 11, n° 5 (août-septembre-octobre 1969).

LINTEAU, Paul-André, René DUROCHER et Jean-Claude ROBERT (1989). *Histoire du Québec contemporain*, Montréal, Éditions du Boréal, 2 vol.

MASSICOTTE, Julien (2005). « Les nouveaux historiens de l'Acadie », *Acadiensis*, vol. XXXIV, n° 2 (printemps), p. 146-178.

MASSICOTTE, Julien (2007). « L'historien et la question du politique en Acadie », *Bulletin d'histoire politique*, vol. 15, n° 3 (printemps), p. 161-172.

MASSICOTTE, Julien (2008). « La question d'une tradition sociologique en Acadie », *The Canadian Review of Sociology = Revue canadienne de sociologie*, vol. 45, n° 3 (août), p. 267-304.

MASSICOTTE, Julien (2009). « Portrait d'un "fondateur dans l'âme" : Clément Cormier, pionnier des sciences sociales en Acadie du Nouveau-Brunswick », *Acadiensis*, vol. XXXVIII, n° 1 (hiver-printemps), p. 3-32.

PÂQUET, Martin (2007). « Histoire sociale et histoire politique au Québec : esquisse d'une anthropologie du savoir historien », *Bulletin d'histoire politique*, vol. 15, n° 3 (printemps), p. 83-102.

Possibles, vol. 5, n° 1 (1980).

RICHARD, Édouard (1895). *Acadia*, New York, Home Book Company.

ROY, Michel (1978). *L'Acadie perdue*, Montréal, Québec Amérique.

ROY, Michel (1982). *L'Acadie des origines à nos jours*, Montréal, Québec Amérique.

RUMILLY, Robert ([1955] 1981). *L'Acadie anglaise*, Montréal, Fides.

RUMILLY, Robert (1983). *L'Acadie française*, Montréal, Fides.

SULTE, Benjamin (1930). *L'Acadie française*, Montréal, Garand.

THÉRIAULT, Léon (1973). « Pour une nouvelle orientation de l'histoire acadienne », *Revue de l'Université de Moncton*, vol. 6, n° 2, p. 115-124.

THÉRIAULT, Léon (1980). « L'Acadie 1763-1978 : synthèse historique », dans Jean Daigle (dir.), *Les Acadiens des Maritimes*, Moncton, Centre d'études acadiennes, p. 49-74.

THÉRIAULT, Léon (1982). *La question du pouvoir en Acadie*, Moncton, Éditions d'Acadie.

WARREN, Jean-Philippe, et Yves GINGRAS (2007). « Le Bulletin d'histoire politique et le retour du refoulé : la lutte pour l'imposition d'un domaine de recherche dans le champ de l'histoire québécoise (1992-2005) », *Bulletin d'histoire politique*, vol. 15, n° 3 (printemps), p. 25-36.

RECENSIONS

QUAND LE VENT FAISAIT TOURNER LES MOULINS : TROIS SIÈCLES DE MEUNERIE BANALE AU QUÉBEC

Gilles Deschênes, avec la collaboration
de Gérald-M. Deschênes
(Québec, Éditions du Septentrion, 2009, 314 p.)

Janice BEST
Acadia University

Depuis l'Antiquité, de nombreuses civilisations ont eu recours au vent pour les déplacements et pour faire tourner les moulins. Depuis le Moyen Âge, les moulins à vent ont exercé un rôle social et économique dans de nombreux pays, tels l'Angleterre, la France, la Flandre, les Pays-Bas, le Danemark, la Suède, l'Allemagne et l'Italie. Chaque pays donna naissance à différents modèles de moulin. Dès le XVIᵉ siècle, les moulins à vent firent leur apparition en Amérique grâce aux différentes vagues de colonisation. Comme leurs prédécesseurs européens, ils témoignèrent du perfectionnement technique des sociétés traditionnelles avant l'ère industrielle.

Au Québec, de nos jours, il ne reste plus qu'une quinzaine de ces témoins du passé. Le livre somptueux de Gilles Deschênes se donne pour mission de sortir de l'oubli ces « petites industries si vitales en leur temps ». Augmenté de nombreuses illustrations et photographies de moulins à vent aujourd'hui disparus, cet ouvrage nous offre une vue d'ensemble du rôle des moulins à vent au Québec depuis le milieu du XVIIᵉ siècle jusqu'au début du XXᵉ siècle. Deschênes consacre huit chapitres au moulin à vent lui-même. Il y retrace ses origines et l'importance qu'il a connue dans le monde occidental, car les moulins à vent, produits non pas d'un éclair de génie, mais d'une longue série de perfectionnements, avaient été inventés et perfectionnés plusieurs siècles avant l'époque où ils furent installés au Canada. Il convient de distinguer à cet égard deux étapes successives dans le développement du moulin à vent : celle, d'abord, du moulin à axe vertical et celle,

ensuite, du moulin à axe horizontal. Le moulin à vent vertical compor-
tait un mécanisme assez simple et fut surtout utilisé en Orient. L'élément récepteur du vent, qui servait à actionner les meules, se trouvait
au niveau inférieur, imitant le modèle du moulin à eau rustique. Au
cours des siècles, cependant, le mécanisme du moulin changea, et cette
position initiale fut invertie, donnant au moulin un rendement beaucoup plus important. Quelques exemples de moulin à axe vertical ont
existé au Québec, mais c'est surtout le moulin à axe horizontal qui finit
par dominer le paysage, tant européen que canadien.

L'histoire de la progression et du déclin du moulin à vent au
Québec suit de près celle du régime seigneurial. Deschênes consacre
deux chapitres à la description de la vallée du Saint-Laurent avant
l'arrivée des Français, alors que l'on cultivait surtout du maïs et que
l'art de moudre les céréales existait déjà. Cependant, les colons européens, ne pouvant pas s'adapter à la nourriture des autochtones, tentè-
rent à quelques reprises d'y faire pousser de nouveaux types de céréales.
Selon Deschênes, la « conquête du blé » dans la nouvelle colonie fut
longue et pénible, la plupart des colons préférant la possibilité de gain
financier immédiat que leur promettait le trafic des peaux de castor.
Néanmoins, le développement de l'agriculture, nécessitant à son tour
la construction de moulins à farine, joua un rôle important dans le
processus même de la colonisation.

La construction des premiers moulins remonte selon toute proba-
bilité aux années 1630 ou 1640. Au départ, le moulin joua un rôle
double en servant d'instrument pour faciliter la fabrication du pain et
de redoute en cas d'attaque par des Iroquois. Il connut, entre 1663 et
1760, un premier essor, grâce aux interventions du roi Louis XIV et de
son intendant Jean Talon. Au début du XVIIIe siècle, les premiers
débouchés commerciaux se développèrent. La France demanda au
Canada d'écouler les surplus de sa production agricole dans ses autres
colonies, et ces nouvelles conditions économiques eurent une influence directe sur la construction des moulins et l'industrie des
farines. Plusieurs de ces moulins furent, par la suite, incendiés ou
saccagés lors du siège de Québec en 1759. Un moulin à vent joua
cependant un rôle important lors de la dernière bataille française en
Amérique, celle de Sainte-Foy en 1760, qui eut lieu sur le terrain
entourant le moulin à vent de Jean-Baptiste Dumont, à l'ouest de la
ville de Québec. Un monument commémoratif élevé en 1855 sur

l'emplacement de ce moulin préserve le souvenir de cet événement. À la fin du Régime français, le nombre de moulins à vent en activité s'élevait à environ une cinquantaine. Aux premières années de la colonie, l'expansion des moulins à vent s'était faite selon la croissance démographique et les progrès du défrichement dans la colonie. À partir de 1790, cependant, la construction des moulins alla de pair avec l'essor du commerce des grains. L'ère du blé se poursuivit durant la première moitié du XIXᵉ siècle, mais peu à peu les moulins à vent furent remplacés par des moulins à eau, plus chers à construire, mais capables de fournir une énergie plus puissante et plus régulière que le vent. La tradition des moulins à vent semble s'éteindre au Québec vers 1920.

Deschênes ne se limite pas, dans son ouvrage, à retracer l'histoire des moulins à vent. Certains chapitres de son livre sont consacrés à une analyse du moulin à vent comme produit du régime seigneurial et du droit de banalité. D'autres chapitres font ressortir la beauté technologique des différents modèles de moulin (français et anglais) et l'important rôle joué par le personnage du meunier, à la fois figure clé de la société traditionnelle, mais aussi sujet de légendes parfois séduisantes, mais d'autres fois inquiétantes. Le dernier chapitre offre une exploration des représentations réelles et symboliques du moulin à vent et du meunier chez les peintres, les photographes, les illustrateurs et les écrivains. Un très beau livre susceptible d'intéresser un public varié, féru d'histoire, nostalgique des paysages d'antan et fasciné par la technologie et l'architecture. L'impressionnante étude de Gilles Deschênes arrive à point, à l'heure où l'intérêt pour l'énergie éolienne redevient à la mode, et elle nous révèle tout un chapitre oublié de notre histoire.

INTRODUCTION À LA LITTÉRATURE FRANCO-ONTARIENNE : UN PANORAMA ACTUEL ET ESSENTIEL

Lucie Hotte et Johanne Melançon
(Sudbury, Prise de parole, 279 p., collection « Agora »)

Benoit Doyon-Gosselin
Université Laval

Dans l'Ouest canadien, en Acadie et en Ontario français, les travaux des premiers chercheurs qui se sont consacrés à leur littérature locale respective ont abouti à des anthologies de qualité variable. Essentiellement, il s'agissait d'une suite de noms, de dates et de repères biographiques. Il faut dire que les René Dionne, Marguerite Maillet ou encore Annette Saint-Pierre étaient des pionniers et des défricheurs, bien plus que des déchiffreurs. Une constance se dégage, par exemple, des ouvrages de Maillet et de Dionne : la volonté de remonter aux origines (1604 en Acadie et 1610 en Ontario français) pour donner une légitimité à ce que François Paré a appelé les « littératures de l'exiguïté ».

Dans les ornières de Paré, une nouvelle génération de chercheurs a poussé plus loin l'étude des littératures francophones du Canada. À ce sujet, le collectif *Introduction à la littérature franco-ontarienne*, dirigé par Lucie Hotte et Johanne Melançon et publié chez Prise de parole, concilie les valeurs scientifiques avec un effort de vulgarisation qui manquait dans les panoramas précédents.

La longue introduction (65 pages), rédigée par les directrices de l'ouvrage, se révèle fort pertinente. Après avoir présenté les prises de position des autres chercheurs quant à la division historique de la littérature en Ontario français, Hotte et Melançon retiennent trois époques : la littérature coloniale (1610-1866), la littérature canadienne-française (1867-1969) et la littérature franco-ontarienne (1970 à nos jours). La suite de l'introduction porte surtout sur les deux premières périodes, car les contributions subséquentes traitent justement de la littérature franco-ontarienne contemporaine.

Dans le premier texte, Jane Moss se penche sur un des genres fondateurs de la littérature franco-ontarienne : le théâtre. Elle aborde la fondation des organismes culturels et l'importance des créations collectives au cours de la première décennie. Il est évidemment question du mythique André Paiement, de Jean Marc Dalpé et de Michel Ouellette. Moss met aussi de l'avant le rôle des femmes, telle Brigitte Haentjens, et traite également de la postmodernité avec l'œuvre de Patrick Leroux. Servant au départ à la quête identitaire, le théâtre franco-ontarien est devenu un « espace artistique pour des interrogations d'ordre existentiel et universel » (p. 106).

Pour traiter du genre majeur qu'est la poésie, François Paré segmente sa contribution en cinq axes : poétiques de l'identité, poétiques du déplacement, poétiques de l'intime, poétiques du mythe et poétiques de l'urbanité. Il est question, tout d'abord, de l'œuvre de Patrice Desbiens, qui demeure le poète fondamental de l'Ontario français. Il serait pourtant réducteur de se limiter à ce seul poète. Paré traite, entre autres, d'Andrée Christensen, d'Andrée Lacelle et d'Éric Charlebois. La poésie franco-ontarienne offre une diversité presque déconcertante qui trouve son origine dans une « marginalité culturelle et linguistique » (p. 145).

Abordant son sujet de prédilection, Johanne Melançon s'intéresse à la chanson franco-ontarienne. On pourrait trouver incongru d'aborder la chanson dans une histoire de la littérature (québécoise, par exemple), mais la contribution de Melançon s'intègre bien surtout lorsque l'on comprend les forts liens entre littérature et chanson en Ontario français. De CANO jusqu'à Damien Robitaille, « [l]e contexte a fait que chanter en français en Ontario était un engagement en soi et un geste politique – ce qu'il est toujours dans une certaine mesure » (p. 192).

Dans son panorama du roman franco-ontarien, Lucie Hotte divise la production en deux groupes : les romans du territoire et les romans de l'espace. Cette division peut sembler curieuse, puisque le territoire franco-ontarien est aussi un espace. La deuxième catégorie comprend des romans où l'espace est indéfini. Par ailleurs, il est question des romans populaires qui, pour une fois, ne sont pas occultés par les universitaires. Pour Hotte, le roman franco-ontarien tente de « conjuguer vie traditionnelle et monde moderne, l'engagement communautaire et le désir d'émancipation individualiste, l'ici et l'ailleurs » (p. 231).

Michel Lord s'intéresse, pour sa part, à la nouvelle en Ontario français. Ce genre, très peu pratiqué en Acadie, jouit d'une belle réputation en Ontario et peut compter sur le soutien de la revue *Virages*. Lord traite des auteurs les plus importants : Maurice Henrie, Marguerite Andersen, Marie-Andrée Donovan, etc. Il constate que « [c]e corpus nouvellier propose de fascinants et inépuisables discours de parcours existentiels [...] » (p. 270). Il est clair que ce genre méconnu se porte plutôt bien en Ontario français.

À part les dernières pages de l'introduction, qui aborde le contexte socioculturel, aucune contribution ne porte sur l'institution littéraire franco-ontarienne. On pourra arguer que l'on retrouve déjà des articles sur ce sujet dans *Perspectives sur la littérature franco-ontarienne* (Prise de parole, 2007), mais pour le néophyte qui ne lira que le collectif de Hotte et Melançon, cette omission donne l'impression d'un champ littéraire peu structuré. Pourtant, la littérature franco-ontarienne est, depuis plus d'une décennie, la plus structurée des littératures francophones en milieu minoritaire au Canada.

Comme il est divisé par genres, le livre n'évite pas toujours le piège de la redondance. Difficile, en effet, de parler de théâtre sans mentionner l'apport de la chanson dans les années 1970 et vice versa. Le même constat se pose au sujet de la poésie ou encore en ce qui concerne les auteurs. Daniel Poliquin est romancier et nouvellier ; Jean Marc Dalpé est passé de la poésie au théâtre et au roman. En ce sens, il aurait peut-être fallu élaguer certaines contributions.

Cela étant dit, ce collectif comble une lacune importante. Il peut servir de manuel scolaire, autant au secondaire qu'à l'université dans un cours de première année. Il représente également une référence scientifique de base pour tout chercheur qui s'intéresse à la littérature franco-ontarienne. À quand un ouvrage semblable pour la littérature acadienne ?

LA NOUVELLE-FRANCE ET LE MONDE

Allan Greer
(Montréal, Éditions du Boréal, 2009, 308 p.)

Denis GAGNON
Collège universitaire de Saint-Boniface
Chaire de recherche du Canada sur l'identité métisse

Les trois parties de cet ouvrage traitent, respectivement, de l'historiographie de la Nouvelle-France, de la conversion des Amérindiens et d'études socioculturelles. Des onze chapitres qui le composent, trois sont inédits tandis que les autres ont déjà été publiés : l'un dans une revue francophone et les sept autres dans des collectifs et des revues anglophones. Pour Allan Greer, ces textes traduits de l'anglais permettent de jeter une passerelle au-dessus du fossé linguistique canadien et montrent l'importance d'étudier la Nouvelle-France dans une perspective internationale, à la fois historiographique et historique, et, surtout, de retourner aux archives plutôt que de se cantonner à l'examen des sources secondaires.

Dans son introduction, qui présente partiellement le contenu de l'ouvrage, l'auteur offre un brillant état de la situation de l'historiographie de la Nouvelle-France en expliquant les transformations que cette discipline a connues depuis quelques années ; entre autres, le décloisonnement, l'ouverture à de multiples perspectives et l'apport interdisciplinaire. La Nouvelle-France, une colonie aux dimensions démesurées qui s'étend de l'Atlantique au Midwest américain, et de la baie d'Hudson au golfe du Mexique en passant par les Grands Lacs et la vallée du Mississippi, est quelque chose de beaucoup plus important et complexe que le rôle réducteur de « berceau du Québec » qu'on lui fait jouer aujourd'hui. Et, contrairement à ce que pensent plusieurs historiens états-uniens, la Nouvelle-France « n'est pas simplement un point de comparaison extérieur qui permet d'éclairer l'histoire coloniale de la Nouvelle-Angleterre : elle fait partie intégrante de l'histoire des États-Unis » (p. 9).

La première partie de l'ouvrage regroupe trois excellents chapitres sur l'historiographie de la Nouvelle-France. Le premier, publié en anglais en 2003, « présente aux lecteurs francophones le spectacle d'un historien canadien-anglais s'efforçant d'expliquer l'historiographie de la Nouvelle-France à des historiens états-uniens » (p. 13) qui abordent habituellement cette discipline avec des œillères et ne reconnaissent pas son importance dans l'histoire des États-Unis. La revue de la littérature est excellente, comme c'est le cas partout dans cet ouvrage très bien documenté, et s'accompagne d'une réflexion sur l'influence de la vision nationaliste qui rend incompatibles les historiographies québécoise, canadienne et états-unienne. L'auteur passe en revue les différents courants : l'histoire religieuse des Jésuites ; le patriotisme de François-Xavier Garneau ; la Nouvelle-France idéalisée de Lionel Groulx ; Francis Parkman, qui oppose la liberté et l'industrie de la Nouvelle-Angleterre à l'obscurantisme et à l'absolutisme catholique de la Nouvelle-France ; le loyalisme de George M. Wrong ; le nationalisme pancanadien de John Eccles ; l'influence de l'école des Annales sur les historiens québécois ; et la nouvelle tendance historiographique qui met l'accent sur l'histoire quantitative et les structures socioéconomiques de la société coloniale. La tendance générale relevée par l'auteur est que les historiens abordent l'histoire de la Nouvelle-France en s'en tenant aux frontières géographiques actuelles. « Il y a quelque chose d'irrationnel dans le fait que les Canadiens et les États-Uniens divisent la Nouvelle-France le long d'une frontière anachronique, restreignent leurs recherches à leur propre côté et lisent rarement de façon systématique les travaux de leurs homologues » (p. 21). L'auteur fait ensuite la revue de la littérature de l'époque portant sur les explorations françaises, les rencontres sur le territoire, l'histoire sociale, l'histoire des femmes et le genre, l'état colonial et la guerre. Ce chapitre est une des meilleures synthèses que j'ai eu l'occasion de lire sur le travail des historiens, et ce, autant du côté québécois, canadien-anglais qu'états-unien. Après avoir souligné les faiblesses de ces histoires trop souvent nationalistes, Greer suggère, en conclusion, d'excellentes pistes de recherche.

Le deuxième chapitre, publié en 2005 dans un collectif français, situe la Nouvelle-France dans le contexte global de l'histoire des Amériques et invite les historiens à s'intéresser davantage à l'histoire de la colonisation française dans une perspective continentale. L'auteur montre par la présentation de six thèmes (la dimension écologique, la maladie, la relation entre les peuples indigènes et les empires européens, l'exploitation des colonies et la question raciale) comment « une attention particulière portée à l'Amérique latine, aux Caraïbes ainsi qu'à l'Amérique du Nord permettrait d'enrichir la recherche concernant la Nouvelle-France elle-même » (p. 49). Encore ici, d'excellentes pistes de recherche sont proposées.

Le troisième chapitre, issu d'une communication inédite, jette un regard sur la place de la Nouvelle-France dans l'historiographie américaine. Encore une fois, mais de façon plus détaillée, l'auteur dénonce l'utilisation d'un cadre national qui mène à des distorsions servant de prélude à la création des États-Unis. Il revisite « le grand-papa de l'histoire coloniale transnationale, Francis Parkman » (p. 63), qui utilisait une polarisation masculin-féminin où la Nouvelle-France (féminine, catholique et ensauvagée) est présentée comme la négation de la Nouvelle-Angleterre (masculine, républicaine et indépendante). L'auteur aborde ensuite les ouvrages récents dans le domaine qui « s'efforcent de se défaire des essentialismes raciaux, nationaux et de sexe [*sic*][1] qui structurent son interprétation » (p. 68), sans toutefois réussir à se dégager des tendances nationalistes. Par exemple, l'ouvrage *Le Middle Ground : Indiens, empires et républiques dans la région des Grands Lacs, 1650-1815* de Richard White (Toulouse, Anacharsis, 2009) qui retranche le Canada du portrait et présente une histoire essentiellement états-unienne. Pour l'auteur, il s'agit d'une question de langue, car les historiens états-uniens ne se donnent pas la peine d'apprendre le français (on pourrait dire la même chose de beaucoup de chercheurs canadiens-anglais). Résultat, ils négligent tout simplement les sources et les ouvrages écrits en français et gomment l'apport français de l'histoire du continent. Soulignons que la revue de la littérature présentée dans ce chapitre est d'une grande richesse.

La deuxième partie, composée de cinq chapitres, traite de la conversion des Amérindiens au catholicisme et offre un excellent exemple de tout le travail qui reste à accomplir sur l'étude du rôle des Amérindiens dans le projet de conversion globale mis en place par les Jésuites dans les Amériques.

Le chapitre quatre, une traduction d'un chapitre publié en 2003, s'intéresse au christianisme iroquoien à Kahnawake. C'est un excellent exemple de métissage religieux où l'auteur évite de réduire cette rencontre à une conquête spirituelle, à une assimilation, à une résistance voilée ou au syncrétisme, selon ses propres termes. Il dégage de façon convaincante les interactions en les qualifiant de coexistence parallèle, d'emprunt sélectif et de syncrétisme localisé.

Le chapitre cinq, publié dans une revue anglophone en 2000, revisite l'histoire des saints martyrs canadiens et celle de Kateri Tekakwitha en explorant la construction de l'hagiographie en Nouvelle-France par l'étude des textes des missionnaires. Greer s'attarde particulièrement à analyser la célèbre gravure de l'époque où on assiste au martyre des pères jésuites, et au rôle mineur des Amérindiens dans les hagiographies et les récits missionnaires, à l'exception de la vie de sainte Kateri, modèle de « l'Indien exemplaire ». Encore ici, l'auteur relève les polarités à l'œuvre : chrétien/païen, divin/diabolique, ville/nature sauvage, colonisateur/colonisé. Le chapitre six, traduction d'un chapitre publié dans un collectif en 2003, étudie la circulation de l'hagiographie de Kateri Tekakwitha dans le réseau des Jésuites, de la France au Mexique, et montre comment cet ouvrage, publié en français puis traduit en espagnol, en est venu à jouer un rôle d'instrument politique. Les femmes amérindiennes étant considérées par les Jésuites comme plus dociles que les hommes, l'exemple de Kateri Tekakwitha deviendra un instrument pour dompter leur sexualité et leurs « appétits désordonnés ». L'auteur jette un regard original sur la relation entre la *limpieza del sangre* (pureté du sang), les religieuses autochtones et les femmes espagnoles dans le contexte du métissage dans le Mexique colonial. Le chapitre sept, une communication inédite, raconte l'histoire du père Pierre-Joseph-Marie Chaumonot : son enfance en France, son séjour en Italie et son rôle en Nouvelle-France dans le contexte des guerres iroquoiennes. Le chapitre huit, autre communication inédite, est un essai préliminaire portant sur l'étude comparative des missions jésuites en Amérique latine et en Nouvelle-France. L'auteur compare l'expérience des Guaranis et des Iroquois, et soulève encore une fois d'excellentes pistes de recherche.

La troisième partie présente trois études d'histoire socioculturelle. Le chapitre neuf, publié dans une revue en 1977, raconte la mutinerie de Louisbourg en 1744. Le chapitre dix, publié dans une revue francophone en 1980, présente une étude de la paroisse rurale du XVIIIe siècle dans la vallée du Richelieu, et le chapitre onze, paru dans un collectif en 2005, offre un court texte sur les échanges de connaissances médicales entre les Jésuites et les Amérindiens au XVIIe siècle.

Avec ses quarante-six pages de notes et de références, cet ouvrage richement documenté permet au lecteur de vérifier tout au long de la lecture les sources archivistiques et les sources secondaires à la base de ces textes. Soulignons également l'excellente traduction française d'Hélène Paré et celle de Frédérique Denis pour le chapitre deux. Cet ouvrage sera très utile aux étudiants en histoire et en anthropologie par la qualité et la rigueur de la démarche et de l'écriture de l'auteur, par l'originalité des thèmes abordés et, surtout, des pistes de recherche soulevées.

NOTE

1. Il s'agit ici de genre et non de sexe.

TERRITOIRES FRANCOPHONES : ÉTUDES GÉOGRAPHIQUES SUR LA VITALITÉ DES COMMUNAUTÉS FRANCOPHONES DU CANADA

Anne Gilbert (dir.)
(Québec, Éditions du Septentrion, 2010, 423 p.)

Daniel LONG
Université Sainte-Anne

D ans les études sur les minorités linguistiques, les modes d'appropriation de l'espace géographique sont sans nul doute une variable fondamentale pour évaluer le dynamisme de ces communautés. L'ouvrage *Territoires francophones* est un recueil de dix-huit textes qui portent sur le rapport des minorités francophones à leur milieu géographique, et il a l'objectif ambitieux de devenir « une référence incontournable pour qui s'intéresse à l'évolution de la francophonie canadienne » (p. 9). En termes plus précis, on cherche, dans ces études, à mesurer l'influence qu'exerce le lien étroit entre les collectivités francophones et leur territoire « sur la vitalité communautaire » (p. 9). La géographe Anne Gilbert, directrice du Centre de recherche en civilisation canadienne-française (CRCCF) et chercheure au Centre interdisciplinaire de recherche sur la citoyenneté et les minorités (CIRCEM) de l'Université d'Ottawa, a dirigé ce projet. Elle souligne dans son introduction qu'elle a eu trois visées principales en colligeant ces textes, à savoir de « revenir au territoire autour duquel se construit la communauté, dans ce qu'il révèle de ses représentations et de ses projets », de se pencher sur « la pertinence du milieu pour l'analyse de la vitalité communautaire » et de proposer « la localité, espace du quotidien, comme échelle à privilégier » (p. 12) dans l'analyse de la vitalité linguistique. Le livre est divisé – dans une perspective thématique – en cinq parties, dont la dernière consiste en une copieuse conclusion qui synthétise les résultats de ces études en soutenant une thèse qui ne manquera pas de soulever le débat, à savoir que « le capital territorial des minorités francophones du pays serait assez mince » et que ces dernières « utiliseraient peu les possibilités de la géographie [...] pour assurer leur développement et leur épanouissement » (p. 398).

D'un côté, *Territoires francophones* est une publication d'envergure en raison des nombreux articles substantiels qui la constituent et de sa riche bibliographie. Il s'agit de projets réalisés par des chercheurs chevronnés dans le domaine de la francophonie canadienne et par des experts en herbe, qui présentent les résultats de recherches menées dans le cadre de leurs études universitaires. La méthode, les bases épistémologiques et les assises théoriques sur lesquelles se fondent les auteurs sont décrites de manière claire et détaillée, bien qu'un peu diffuse dans certains cas. On y retrouve des textes qui devraient s'avérer singulièrement profitables aux nouveaux chercheurs, notamment « La présence française : une typologie des communautés francophones minoritaires du Canada » d'André Langlois et Anne Gilbert, « L'espace francophone des métropoles à forte dominance anglaise » des mêmes auteurs et « Entre racines et mouvement : l'identité dans la francophonie canadienne » de Marie Lefebvre. Ces trois études réussissent à brosser un tableau synthétique de la corrélation entre vitalité linguistique et géographie, tout en ouvrant des perspectives d'avenir pour les minorités francophones au Canada. D'autres articles traitent d'une question précise relative à un territoire donné ; en l'occurrence, la plupart des francophones en milieu minoritaire y trouveront leur compte, quoique l'étude de la communauté franco-ontarienne occupe une place un peu plus grande dans le volume. Bref, ce recueil a le mérite d'explorer le territoire francophone canadien dans le sens large de la notion, en dépit du fait que les études de ce type ont souvent « la fâcheuse propriété d'éliminer une composante de plus en plus importante des minorités francophones hors Québec, celle de la population immigrante pour qui le français, s'il n'est pas la langue maternelle, reste néanmoins la première langue de communication au Canada » (p. 36).

En contrepartie, l'on peut se demander pourquoi moins de dix auteurs ont été sollicités pour collaborer à ce projet, alors qu'il existe plusieurs autres chercheurs de diverses universités qui auraient pu élargir le champ d'analyse qui y est présenté (il est précisé dans l'introduction que la parution de ce livre s'inscrit dans le cadre du projet « Vitalité communautaire des minorités francophones du Canada : effets de milieu et de réseau » [p. 11, note 1]). Ce fait pourrait en amener certains à supposer que les articles retenus permettraient de mieux appuyer la position exposée dans la dernière partie (« Synthèse et conclusion ») de l'ouvrage, étant donné qu'on y reprend de nombreux points soulevés dans les sections précédentes. De plus, il est difficile d'éviter les redondances dans un recueil qui porte sur un sujet relativement pointu ; les redites dans *Territoires francophones* sont d'autant plus apparentes que certains collaborateurs ont rédigé plusieurs textes, soit en y définissant de nouveau la méthode ou l'approche théorique adoptée, soit en y répétant quelques résultats d'enquêtes qu'ils ont menées. La conclusion (cinquième partie) surtout, malgré son contenu ample, aurait mérité d'être condensée, en dévoilant davantage d'horizons nouveaux sur l'étude du territoire où évoluent les populations francophones en situation minoritaire.

Quoi qu'il en soit, ces quelques faiblesses d'ensemble ne réduisent en rien la valeur intrinsèque des textes qui composent le volume. Cette publication fournira vraisemblablement des renseignements précieux non seulement aux chercheurs, mais aussi au public qui est touché de près ou de loin par l'avenir du fait français au Canada. En ce sens, *Territoires francophones* a le potentiel d'éveiller les minorités francophones à l'importance d'organiser leur espace géographique – ou de leur rappeler cette réalité – afin de stimuler et de maintenir la vitalité linguistique.

1940-1948 : LES ÉDITEURS QUÉBÉCOIS ET L'EFFORT DE GUERRE

Jacques Michon
(Québec, Les Presses de l'Université Laval, 2009, 178 p.)

Sylvain RHEAULT
Université de Regina

D ans l'histoire du livre au Québec, la période 1940-1948 constitue, sans aucun doute, l'un des chapitres les plus passion-
nants en raison des circonstances exceptionnelles qui y
prévalaient. Rappelons qu'à partir de 1940, l'Occupation allemande
avait entraîné la rupture des livraisons de livres venant de France. Ce
ne sera qu'en 1948 que les maisons d'édition françaises seront en
mesure de récupérer tout le marché qu'elles avaient perdu à l'extérieur
de l'Hexagone à cause de la guerre.

1940-1948 : les éditeurs québécois et l'effort de guerre est en fait le
catalogue d'une exposition itinérante sur l'histoire du livre, organisée
par le commissaire Jacques Michon et offerte par Bibliothèque et
Archives nationales du Québec. Il s'agit de revisiter les influences de la
Seconde Guerre mondiale sur la société québécoise, mais du point de
vue du livre, si l'on peut s'exprimer ainsi.

La couverture souple de cet album de belle facture et de grand
format est composée d'une illustration qui reproduit la composition
dynamique ainsi que les couleurs affadies des affiches de la Seconde
Guerre mondiale, avec des effets d'usure et de pliure. À l'intérieur, on
trouve de nombreuses photos de couvertures de livres publiés entre
1940 et 1948. On y trouve aussi des affiches de recrutement, des
lettres, des caricatures, des photos, des annonces, des articles de journaux ainsi que la une des journaux relatant des événements significatifs
qui eurent lieu durant la période analysée. Tous ces petits documents

contribuent à mettre en lumière l'histoire du livre au Québec, tout en plongeant le lecteur dans l'ambiance de l'époque.

Les couvertures de livres se présentent comme des œuvres d'art tout autant que comme des artéfacts historiques. On y découvre que des textes d'auteurs français célèbres comme Antoine de Saint-Exupéry, Georges Bernanos et Louis Aragon ont été publiés à Montréal et que la demande soudaine du public pour la littérature a permis de révéler des auteurs québécois comme Alain Grandbois, Anne Hébert, Roger Lemelin et Gabrielle Roy. L'offre et la demande pour la littérature ont ainsi connu une progression soudaine et sans précédent.

Les éditeurs québécois, qui étaient pour la plupart installés à Montréal, ont connu leur heure de gloire à partir de la défaite de la France en juin 1940. Vu les circonstances, le gouvernement canadien a voté une loi suspendant provisoirement le copyright des livres étrangers, permettant ainsi aux maisons de publication québécoises de prendre la relève de leurs consœurs françaises. Malgré ce que l'affirmation peut avoir de choquant, il faut admettre que le malheur des éditeurs français a bel et bien fait le bonheur des éditeurs québécois. Rien que la réimpression de manuels scolaires a été une mine d'or pour nombre de ces derniers. D'autre part, en réaction à l'idéologie fasciste, un vent de liberté de pensée sans précédent s'est mis à souffler sur l'industrie du livre. Le puissant clergé catholique a dû céder à la pression et laisser circuler des livres autrefois consignés à l'index.

Les années de vaches grasses durèrent jusqu'en 1948, et c'est une aventure qui, malheureusement, se termine en queue de poisson. En effet, après la guerre, malgré quelques collaborations avec les maisons d'édition québécoises, les éditeurs français, qui auront retrouvé leur accès privilégié aux marchés internationaux, refuseront de le partager avec les Québécois. Cela entraînera un déclin des éditeurs du Québec. Puisqu'un malheur n'arrive jamais seul, le clergé catholique, soutenu par Duplessis, recouvre toute son autorité et recommence à faire sentir le poids de sa censure. Les livres jugés immoraux reprennent le chemin de l'index. Seuls sept éditeurs sur vingt-deux survivront à l'après-guerre.

Il s'agit d'un épisode absolument passionnant de l'histoire du livre au Québec. Les répercussions de la Seconde Guerre mondiale y apparaissent comme des vecteurs de changement positifs pour la société québécoise. Ce livre nous fait remarquer que l'histoire littéraire, axée principalement sur les auteur(e)s et leurs idées, néglige trop souvent de tenir compte des péripéties des maisons d'édition, dont les activités peuvent avoir une influence non négligeable sur la littérature. Ce livre pourrait constituer un complément pertinent dans un cours sur la littérature québécoise du XXe siècle.

Résumés / Abstracts

Greg ALLAIN et Guy CHIASSON
La communauté acadienne et la gouvernance du développement éco-
nomique dans une micrométropole émergente : Moncton, Nouveau-
Brunswick

Dans la foulée d'une relecture du lien entre francophones minoritaires
et espaces urbains autour des notions de réseaux sociaux et de vitalité,
ce texte aborde une dimension peu étudiée, soit l'interaction des
francophones avec les institutions politiques locales à travers la participation des Acadiens à la gouvernance du développement économique.
Le Moncton métropolitain fournit un terrain de recherche particulièrement fructueux vu la territorialisation linguistique de la population
et le rôle clé joué par les Acadiens dans la relance économique remarquable du Grand Moncton depuis 1990. L'analyse compare les stratégies de développement de deux municipalités, Moncton et Dieppe, et
la place occupée par les francophones dans ces stratégies. Si le type
d'intervention se ressemble parfois, les deux villes construisent des
représentations distinctes de la francophonie, Moncton affichant le
bilinguisme de sa main-d'œuvre pour attirer des investisseurs, alors
que Dieppe bâtit un modèle d'urbanité axé sur une occupation de
l'espace urbain par les Acadiens.

*In the wake of a reinterpretation of the relationship of minority
Francophones and urban space, centered on the notions of social networks
and community vitality, this article deals with an aspect few have studied,
that of the interaction of Francophones with local political institutions,
through an analysis of the participation of Acadians in the governance of
urban economic development. Greater Moncton provides a fruitful
research setting with its two territorialized linguistic communities and the
role played by Acadians in the remarkable economic renaissance it has
enjoyed since the early 1990s. The study compares the development
strategies of two municipalities, Moncton and Dieppe, and the place
occupied by Francophones in these strategies. The types of interventions*

appear similar, but the two cities put forward different representations of Francophones: while Moncton touts its bilingual workforce to attract investments, Dieppe is developing a distinct model of Acadian urbanity.

Martin NORMAND
Le développement des communautés francophones vivant en situation minoritaire : les effets du contexte sur ses représentations en Ontario et au Nouveau-Brunswick

La notion de développement se retrouve généralement dans les débats sur les langues officielles au Canada. Comment les différents acteurs communautaires se représentent-ils cette notion ? Ce texte propose que les représentations du développement découlent des effets structurants du contexte plus global du débat sur les langues officielles au Canada. Après un survol de l'évolution du débat sur le développement, ce texte vérifie les effets du *Plan d'action pour les langues officielles*, compris comme une institution qui à la fois structure l'action de la société civile et qui lui procure des ressources, sur les représentations du développement véhiculées par l'Assemblée de la francophonie de l'Ontario et par la Société des Acadiens et Acadiennes du Nouveau-Brunswick. Dans les deux cas, les représentations du développement semblent influencées par l'action du gouvernement fédéral dans le domaine des langues officielles.

The concept of development is often used in debates relating to official languages in Canada. How do the different community actors understand that concept? This study suggests that the understandings of development stem from the structural effects of the global context of the debates on official languages in Canada. After a brief summary of the evolution of the debate on development, the study verifies the effects of the Action Plan for Official Languages, *understood as an institution that structures civil society's actions and that offers it resources, on the understandings of development within the* Assemblée de la francophonie de l'Ontario *and the* Société des Acadiens et Acadiennes du Nouveau-Brunswick. *In both cases, the understandings of development appear to be influenced by the federal government's initiatives in the field of official languages.*

Charles TARDIF **et Christine** DALLAIRE
La satisfaction des patients francophones de l'Est de l'Ontario traités en réadaptation à domicile

L'accès à des services de santé en français est aujourd'hui une des revendications importantes des porte-drapeaux francophones non seulement pour assurer la santé individuelle des francophones mais aussi pour favoriser la vitalité des communautés. Cependant, certains des francophones qui font appel aux soins ou à l'appui des professionnels de la santé demandent des services en français, alors que d'autres sont satisfaits de recevoir des services en anglais. Cette étude s'inspire de l'analyse des discours développée par Michel Foucault pour examiner les discours que reproduisent les francophones qui reçoivent des soins de réadaptation à domicile, en français et/ou en anglais. Des entrevues semi-dirigées ont été effectuées avec 12 patients francophones dans l'Est de l'Ontario. Les participants de l'étude sont de façon générale satisfaits des soins reçus, mais la langue des services ne répond pas nécessairement à leurs attentes. Ce sont évidemment ceux qui ne peuvent s'exprimer en anglais, d'une part, et ceux qui s'affichent fièrement comme francophones, d'autre part, qui préfèrent recevoir des soins en français. Toutefois, ce ne sont pas que les caractéristiques linguistiques et identitaires des patients qui influencent les critères qu'ils jugent prioritaires pour évaluer les soins reçus. En effet, leur façon de concevoir leur rapport vis-à-vis le professionnel de la santé joue aussi sur l'importance qu'ils accordent à la langue des soins.

Francophone leaders are today demanding access to health services in French not only to ensure individual health but also to enhance the vitality of their communities. However, while some Francophones requiring the treatment or care of health professionals do ask to receive those services in French, others are satisfied if they receive such services in English. This study draws on Foucauldian discourse analysis to examine the discourses reproduced by Francophones receiving home care services, in French and/or in English. Semi-directed interviews were conducted with 12 Francophone patients in Eastern Ontario. Study participants are generally satisfied with the care received, but the language of services does not necessarily correspond to their expectations. It is obviously those that cannot speak in English, on the one hand, and those that proudly identify as Francophones, on the other hand, that prefer receiving care in French. However, the linguistic and identity traits of patients are not the only factors that influence which criteria they will consider a priority in evaluating care received. Indeed, the way they conceive of the health professional also has an effect on the importance they attribute to the language of the service.

Pierre FOUCHER
Nations francophones et Constitution canadienne

Le droit des minorités est tributaire de la notion d'État-nation. Cependant, la notion d'état multinational, où coexistent des nations distinctes dans une structure fédérale, commence à être défendue. Le présent texte explore comment le droit constitutionnel, les lois linguistiques et la jurisprudence récente en droits linguistiques au Canada reconnaissent ou non plusieurs nations ou en tirent des conséquences juridiques. Or le paradigme principal de ce droit s'inscrit plutôt dans l'idée qu'il y a une nation canadienne et que les communautés qui la composent sont traitées comme des minorités nationales qui reçoivent soit des droits, soit des protections spéciales dans la structure constitutionnelle.

Minority rights are dependent upon the notion of the Nation-State. Nevertheless, the idea of multinational states, where distinct nations are coexisting within a federal structure, is gaining weight. The present text explores how the constitutional law, language laws and recent jurisprudence recognize or not multiple nations and give legal consequences to the notion. The major paradigm of these rights relies on the idea that there is a Canadian nation and that communities within it are treated as national minorities receiving either rights or special protections in the constitutional structure.

Diane GÉRIN-LAJOIE
Analyse comparative du rapport à l'identité chez les jeunes des communautés de langue officielle au Canada

L'article porte sur le discours des jeunes sur la question du rapport à l'identité et du sens d'appartenance au groupe, dans le contexte des minorités de langue officielle au Canada. En constante évolution, le rapport à l'identité se voit influencé par les pratiques sociales des individus, pratiques qui elles-mêmes s'inscrivent dans des rapports de pouvoir particuliers. Dans le contexte des minorités de langue officielle au Canada, comment s'articule ce rapport à l'identité chez les jeunes? Comment le contexte historique et social vient-il influencer la façon dont ils perçoivent leur rapport à la langue et à la culture minoritaires? Les résultats qui servent à la présente analyse sont tirés de deux études ethnographiques d'une durée de trois ans chacune portant sur le rapport à l'identité chez les jeunes fréquentant les écoles de langue anglaise au Québec et les écoles de langue française en Ontario.

The article examines youth discourse on the issue of identity and sense of belonging, in the context of the two official linguistic minorities in Canada. The rapport to identity is understood as constantly evolving and as being influenced by the social practices of people. These social practices are themselves embedded in particular relations of power. In the context of the official linguistic minorities in Canada, how does this rapport to identity articulate itself among youth? How does the socio-historical context influence the ways in which the youth make sense of its minority language and culture? These questions are addressed using results from two ethnographic studies conducted on identity and youth in Anglophone secondary schools in Quebec, and the other on Francophone secondary schools in Ontario.

Isabelle VIOLETTE **et Christophe** TRAISNEL
L'Acadie de la diversité chez le militant acadien d'ici et l'immigrant francophone venu d'ailleurs : contradictions et convergences dans les représentations d'une identité commune

Nous cherchons à voir comment s'articule, dans les discours identitaires en Acadie du Nouveau-Brunswick, l'ouverture *de facto* de la communauté acadienne d'ici à la francophonie venue d'ailleurs : quel impact cette mise en contact produit sur les représentations identitaires des francophones d'ici et d'ailleurs ? Pour ce faire, nous proposons un portrait croisé et une comparaison de deux groupes qui, de par leurs positionnements, peuvent refléter ces changements de représentations au sein de l'Acadie du Nouveau-Brunswick, à savoir les militants acadiens et les immigrants francophones. Malgré des points de tension et de divergence, notamment autour du poids accordé à la dimension ethnique de l'identité acadienne, nous avons constaté un terrain d'entente identitaire entre les deux groupes autour d'un *lieu* d'appartenance commun. En effet, si devenir Acadien demeure problématique pour les immigrants, l'intégration à la communauté d'accueil locale tend à prendre la forme d'une identification à l'Acadie comme espace de vivre ensemble.

In this paper, we examine how the Acadian community of New Brunswick is articulating its "openness" towards Francophones of different origins. We proceed by comparing two groups, Acadian leaders and francophone immigrants, because their different status and backgrounds are likely to reflect changes in the way Acadian identity is being represented. Through a discursive analysis, we have noted tensions and divergences between the two groups, particularly around the importance surrounding the ethnic aspects of the Acadian identity. However, a common ground is forming regarding a sense of belonging to a common place, named "Acadie". If becoming Acadian remains problematic for the immigrants, the analysis shows that their integration in the local welcoming community tends to shape itself into the identification of Acadie as a common place to live.

Julien MASSICOTTE
Références historiennes : l'historiographie acadienne contemporaine et l'influence québécoise

Dans cette étude, l'auteur examine la nature des rapports qu'entretiennent les historiens acadiens des dernières décennies avec l'historiographie québécoise, et tente de comprendre l'évolution temporelle de ces rapports. Les rapports entretenus avec l'historiographie québécoise sont examinés à partir de deux cohortes d'historiens, l'une particulièrement active dans les années 1970 et 1980, l'autre dans les années 1980 et 1990. L'auteur tente, dans cet article, d'examiner l'espace que la production historienne et les sources historiques en provenance du Québec occupent au sein des ouvrages des historiens acadiens des dernières décennies, en comparaison avec d'autres sources d'influence possible. Quatorze textes clés issus de l'historiographie acadienne des dernières décennies ont été retenus, afin d'y mesurer le poids et la présence de différentes références savantes, historiennes ou archivistiques.

In this study, the author examines the nature of the relationships entertained by Acadian historians of the last few decades with Québec historiography, and tries to understand the timely evolution of those relationships. The relationships maintained with the historiography from Québec are examined from the perspective of two cohorts of Acadian historians, the first one mainly active in the 70s and the 80s, the second one in the 80s and 90s. The author attempts, in this article, to examine the space occupied by the historian production and the diverse historical sources from Quebec, in the works of Acadian historians of the last decades, while comparing with other possible sources of influence. Fourteen key texts issued from the Acadian historiography of the last decades were retained for analysis, to measure the weight and the presence of different scholarly, historical or archival references.

Notices biobibliographiques

GREG ALLAIN est professeur titulaire au Département de sociologie de l'Université de Moncton. Ses intérêts de recherche ont porté sur le développement régional, le syndicalisme et, particulièrement, la société acadienne, dont il a étudié les réseaux associatifs (entre autres les Jeux de l'Acadie et le Congrès mondial acadien), la vitalité des communautés acadiennes minoritaires en milieu urbain et le rôle catalyseur des centres scolaires communautaires au Nouveau-Brunswick. Ses recherches récentes analysent la participation des Acadiens à la gouvernance du développement économique et culturel dans le Moncton métropolitain. Greg Allain est l'auteur d'une quarantaine d'articles scientifiques et de chapitres de livres, et coauteur de trois ouvrages sur les communautés acadiennes de Fredericton, de Saint-Jean et de Miramichi.

FRANÇOIS CHARBONNEAU est détenteur d'un doctorat d'études politiques de l'École des hautes études en sciences sociales (Paris). Il est spécialiste des questions identitaires, à la fois des identités majoritaires (États-Unis et Canada) et des identités minoritaires (francophonie canadienne). Il a dirigé un ouvrage collectif paru en octobre 2008 sur les défis que pose la diversité à la transmission des histoires nationales aux éditions P.I.E. Peter Lang – Éditions scientifiques internationales (Bruxelles, Belgique). Avant d'entamer sa carrière de professeur, François Charbonneau a occupé les fonctions de directeur général de l'Association des universités de la francophonie canadienne (AUFC). Lors de son passage à l'AUFC, il a été l'auteur du Plan de soutien à la recherche sur les communautés francophones en situation minoritaire, plan rédigé sur la base d'entrevues menées auprès d'une centaine de professeurs universitaires œuvrant dans les universités de la francophonie canadienne. Il a de créé le Portail de la recherche sur la francophonie canadienne qui recense de manière interactive l'ensemble des activités de recherche universitaire portant sur la francophonie canadienne. François Charbonneau est l'actuel directeur de la revue

Argument et fondateur du Groupe de recherche sur le statut du français au Canada.

GUY CHIASSON est professeur de science politique et développement régional à l'Université du Québec en Outaouais. Ses recherches portent, d'une part, sur la politique municipale ainsi que le développement dans les villes moyennes canadiennes et, d'autres, part sur la transformation de la gouvernance des ressources naturelles au Canada et ailleurs. Il participe à la coordination de deux équipes de recherche, le Centre de recherche en développement territorial (CRDT) et le Centre de recherche sur la gouvernance des ressources naturelles et du territoire (CRGRNT) qui s'intéressent à la place du territoire dans les sociétés contemporaines.

CHRISTINE DALLAIRE est professeure agrégée à l'École des sciences de l'activité physique de l'Université d'Ottawa. Ses recherches sur la francophonie minoritaire, financées par le Conseil de recherches en sciences humaines du Canada, portent sur l'identité, les jeunes et les stratégies de développement communautaire. Elle participe aussi à des études sur les perceptions du risque (Santé Canada) et sur la santé des femmes (Condition féminine).

PIERRE FOUCHER a obtenu une licence en droit de l'Université de Montréal en 1977 et sa maîtrise en droit administratif de l'Université Queen's à Kingston en 1981. Membre du Barreau du Québec, il enseigne à la Faculté de droit de l'Université d'Ottawa depuis 2008 dans les domaines du droit constitutionnel et linguistique. Il a aussi été professeur à la Faculté de droit de l'Université de Moncton de 1980 à 2008. Il a été professeur invité dans plusieurs universités du Canada et dans le monde et conférencier invité dans des colloques nationaux et internationaux. Spécialiste des droits des minorités et des droits linguistiques, il compte plusieurs publications à son actif. Il agit aussi régulièrement comme avocat et consultant auprès d'associations et d'organismes gouvernementaux en droit constitutionnel et linguistique ou comme témoin devant des comités parlementaires.

DIANE GÉRIN-LAJOIE est sociologue critique de l'éducation et professeure titulaire à l'Ontario Institue for Studies in Education (OISE) de l'Université de Toronto, au Département de Curriculum, d'enseignement et d'apprentissage et elle est membre du Centre de recherches en éducation franco-ontarienne (CREFO) à la même institution. Elle est également membre régulier de l'Observatoire Jeunes et société, de même que membre associé au Centre de recherche interuniversitaire sur la formation et la profession enseignante (CRIFPE). Sa recherche porte sur les minorités linguistiques dans les domaines particuliers du rapport à l'identité chez les jeunes des écoles de la minorité et du travail enseignant en contexte minoritaire. Ayant fait de la recherche sur la francophonie canadienne en milieu scolaire pendant plusieurs années, elle s'intéresse présentement aux mêmes questions mais chez la minorité anglophone du Québec. Enfin, elle enseigne au niveau des études supérieures, dans les domaines de l'éducation des minorités et de la recherche qualitative.

JULIEN MASSICOTTE est professeur d'histoire et de sociologie à l'Université de Moncton, campus d'Edmundston, et également doctorant en histoire à l'Université Laval.

MARTIN NORMAND est doctorant au Département de science politique de l'Université de Montréal. Il détient un diplôme de maîtrise en science politique de l'Université d'Ottawa. Sa thèse, *À la recherche d'une « politique » de développement global: une approche contextuelle pour l'étude du développement des communautés francophones vivant en situation minoritaire*, a remporté le prix René-Lupien, qui reconnaît l'excellence d'une thèse rédigée en français et contribuant à la francophonie canadienne. Il fait partie de l'équipe de l'Alliance de recherche université communauté (ARUC) sur les savoirs de la gouvernance communautaire au sein des minorités linguistiques. Il est membre de la Chaire de recherche en francophonie et politiques publiques de l'Université d'Ottawa et du Centre de recherche sur les politiques et le développement social de l'Université de Montréal.

CHARLES TARDIF est physiothérapeute et il poursuit sa pratique en clinique de façon engagée pour les francophones minoritaires. Dans le cadre de sa thèse de maîtrise, il a examiné les discours et les pratiques identitaires francophones dans le contexte des services de santé et leur impact sur la satisfaction des patients à l'égard des soins à domicile. Il s'intéresse aussi à la mesure de la satisfaction et à la validation d'outils de mesure.

CHRISTOPHE TRAISNEL est professeur de science politique à l'Université de Moncton et diplômé des Universités de Montréal, de Paris II et de Lille II. Il a récemment publié, avec Pascale Dufour, « Nationalism and

Protest: the Sovereinist Movement in Quebec », dans *The Politics of Contestation* (Myriam Smith (dir.), Broadview Press). Il poursuit ses travaux sur les francophonies minoritaires après avoir consacré sa thèse à l'analyse comparative du nationalisme de contestation en Belgique et au Canada. Ses recherches actuelles portent notamment sur le thème de la diversité culturelle dans le discours du mouvement acadien et sur les « francophonies boréales » (Nunavut, Yukon, Territoires du Nord-Ouest). Il est également l'auteur des ouvrages *Le français en partage* (Éditions Timée) et *Francòphonie, francophonisme : groupe d'aspiration et formes d'engagement* (Éditions LGDJ – Panthéon-Assas).

ISABELLE VIOLETTE est professeure adjointe au Département d'études françaises de l'Université de Moncton. Ses travaux de recherche portent sur les représentations de la diversité dans les discours identitaires en Acadie du Nouveau-Brunswick ainsi que sur les questions épistémologiques que soulève la construction des savoirs minoritaires. Elle a notamment publié « Discours, représentations et nominations : le rapport au "chiac" chez les immigrants francophones à Moncton (Acadie) », dans *Vues sur les français du Canada* (LeBlanc *et al.* (dir.), Les Presses de l'Université Laval) ainsi que « Savoir, intervention et posture en milieu minoritaire : les enjeux linguistiques en Acadie du Nouveau-Brunswick », avec Annette Boudreau, dans *Langage et Société* (2009, n° 129).

POLITIQUE ÉDITORIALE

Francophonies d'Amérique est une revue pluridisplinaire dans le domaine des sciences humaines et des sciences sociales. Elle paraît deux fois l'an. La direction de la revue favorise non seulement la représentation équitable des diverses disciplines, mais elle encourage également les croisements disciplinaires. L'Ontario, l'Acadie, l'Ouest canadien, les États-Unis et les Antilles (Haïti, Martinique, Guadeloupe) y sont représentés. Le Québec peut aussi y être conçu comme un objet d'étude dans son histoire et sa présence continentales. Les diverses facettes de la vie française dans ces régions font l'objet d'analyses et d'études à la fois savantes et accessibles à un public qui s'intéresse aux « parlants français » en Amérique du Nord. On y retrouve aussi des comptes rendus et une bibliographie des publications récentes en langue française issues de ces collectivités. La direction de la revue privilégie la représentation des régions tant par les textes que par les auteurs et encourage les études comparatives et les perspectives d'ensemble. *Francophonies d'Amérique* vise à refléter un secteur de recherche en pleine croissance et constitue ainsi une source de renseignements des plus utiles pour quiconque s'intéresse à la francophonie nord-américaine dans toute sa vitalité.

Procédure d'évaluation des articles
Tous les articles soumis à la revue, y compris les textes sollicités par la direction, les membres du conseil d'administration ou du comité de rédaction, doivent faire l'objet d'une évaluation par au moins deux personnes compétentes. La revue fera appel le plus souvent possible aux membres du comité de rédaction pour assurer l'évaluation des textes. La sollicitation d'un article ou d'un compte rendu n'en signifie donc pas l'acceptation automatique.

Francophonies d'Amérique ne publie que des articles inédits, c'est-à-dire qui n'ont fait l'objet d'aucune publication antérieure, sous quelque forme que ce soit, incluant le site Web de l'auteur, celui du centre de recherche ou celui de l'institution à laquelle il est rattaché.

Numéros thématiques – textes choisis de colloques
Francophonies d'Amérique accueille volontiers des articles provenant de colloques portant sur des sujets pertinents. Un seul numéro par année est normalement consacré à ce type de publication.

La préparation des textes est confiée au responsable du numéro thématique. Tous les articles doivent être remis en un seul dossier, en format Word. La présentation du numéro par le responsable scientifique et les notices biobibliographiques (100 mots) des collaborateurs et des collaboratrices ainsi que les résumés (en français et en anglais) des articles (100 mots) doivent être compris dans le dossier remis à la direction de la revue. Les textes doivent être conformes aux normes et au protocole de rédaction de la revue.

Les manuscrits doivent faire l'objet d'une évaluation normale par les pairs.

En consultation avec les coordonnateurs des différents dossiers, la direction de *Francophonies d'Amérique* est responsable du choix final des articles, et elle avisera les auteurs de sa décision.

Nombre de pages

Les numéros de *Francophonies d'Amérique* comptent au maximum 200 pages, incluant la table des matières, l'introduction, les articles, les comptes rendus, les notices biobibliographiques et les pages se rapportant à la revue.

Longueur des articles

Les textes soumis pour publication comptent entre 15 et 20 pages, à interligne double. Les tableaux, les graphiques et les illustrations doivent être limités à l'essentiel ; chaque numéro comprend au maximum 26 tableaux et illustrations.

Présentation des articles

La revue utilise le système de renvoi à l'intérieur du texte, suivi d'une bibliographie des ouvrages cités. Les notes doivent être réduites au minimum, et seules celles qui sont essentielles à la cohésion et à la compréhension de l'article seront publiées. De même, la revue ne publiera que la bibliographie des ouvrages cités.

Présentation des comptes rendus

Les comptes rendus comprennent la référence complète de l'ouvrage recensé en guise de titre, suivie du nom de l'auteur du compte rendu ainsi que ses coordonnées complètes. Nombre de mots : entre 1 000 et 1 200.

Protocole de rédaction

Le protocole de rédaction est disponible dans le site Web de la revue, à l'adresse suivante : [http://www.crccf.uottawa.ca/francophonies_ amerique/protocole.pdf].

Accès libre aux articles

Deux ans après la parution de son article en format imprimé et électronique dans le portail Érudit, l'auteur qui le désire pourra diffuser librement son article après en avoir obtenu l'autorisation de *Francophonies d'Amérique* et en s'assurant que la source de l'article est clairement indiquée.

AVIS PUBLIC

Dans le but de valoriser et de diffuser auprès d'un large public la revue *Francophonies d'Amérique*, le conseil d'administration de la Revue a décidé de procéder à la numérisation rétrospective des numéros 1 à 24. Ces numéros et articles numérisés seront accessibles librement et gratuitement sur la Plateforme Érudit, laquelle diffuse plus d'une centaine de revues savantes et culturelles, des thèses et autres ouvrages savants (WWW.ERUDIT.ORG).

Tout auteur, titulaire de droits sur un ou plusieurs articles publiés dans les numéros 1 à 24 de la revue *Francophonies d'Amérique*, qui ne souhaite pas voir diffusée la version numérique de son article sur la Plateforme Érudit ou dans tout autre média électronique, banque de données informatisées et autres supports similaires, peut adresser une demande écrite à la Revue afin que son ou ses articles soient retirés (voir les coordonnées ci-dessous).

Francopohonies d'Amérique est disponible sur Érudit
http://www.erudit.org/revue/fa/apropos.html

Colette Michaud
Secrétariat de rédaction, *Francophonies d'Amérique*
Centre de recherche en civilisation canadienne-française
Université d'Ottawa
65, rue Université, bureau 040
Ottawa (Ontario) K1N 6N5
Téléphone : 613 562-5800, poste 4001
Télécopieur : 613 562-5143
Courriel : cmichaud@uOttawa.ca

http://www.crccf.uottawa.ca/francophonies_amerique/index.html

ABONNEMENT À

MENS
Revue d'histoire intellectuelle et culturelle

La revue *Mens* est vouée à l'étude de l'histoire intellectuelle et culturelle de l'Amérique française. Elle paraît sur une base semestrielle, les printemps et automne de chaque année. Pour s'abonner, il suffit de remplir ce bon et de l'envoyer avec son paiement à l'adresse suivante :

**Revue *Mens*
CRCCF
Université d'Ottawa
Pavillon Morisset
65, rue Université, pièce 040
Ottawa (On) K1N 6N5**

Nom, Prénom / Institution

Adresse

Ville   Province / État   Code postal

Courriel   Téléphone

Type d'abonnement
- □ Étudiant (20 $)
- □ Étudiant – 2 ans (35 $)
- □ Régulier (25 $)
- □ Régulier – 2 ans (45 $)
- □ Régulier – étranger (40 $ USD)
- □ Soutien (50 $ ou autre ____$)
- □ Institution (35 $)
- □ Institution – étranger (45 $ USD)

Paiement par chèque libellé à l'ordre de
Revue *Mens*

□ Cochez pour obtenir un reçu